bibliocollège

La Petite Sirène et autres contes

D1125341

Hans Christian Andersen

Notes, questionnaires et dossier Bibliocollège
par Mariel MORIZE-NICOLAS,
professeur agrégé
de Lettres modernes

Crédits photographiques

p. 4 : cartographie Hachette Éducation. **pp. 5 et 6 :** photo Nordfoto/Sipa Press.
p. 25 : © Disney. **p. 85 :** photo Jean-Loup Charmet. **p. 93 :** photo Jean-Loup
Charmet. **p. 110 :** photo Hachette Livre. **p. 123 :** © Prod. **p. 127 :** © Christophel.

Conception graphique

Couverture : *Laurent Carré*

Intérieur : *ELSE*

Mise en page

Médiamax

Illustration des questionnaires

Harvey Stevenson

Illustrations des pages 7, 17, 33, 40, 46, 61, 66, 69, 74, 80, 83, 97

Bertrand Toussaint

ISBN : 2.01.1688151.0

© Hachette Livre, 2000, 43, quai de Grenelle, 75905 PARIS Cedex 15.
Tous droits de traduction, de reproduction et d'adaptation réservés pour tous pays.

Sommaire

Le Danemark en Europe

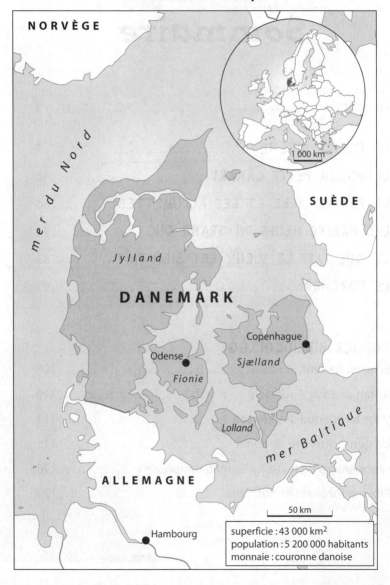

NORVÈGE

SUÈDE

mer du Nord

Jylland

DANEMARK

Copenhague

Odense

Sjælland

Fionie

Lolland

mer Baltique

ALLEMAGNE

50 km

Hambourg

1 000 km

superficie : 43 000 km²
population : 5 200 000 habitants
monnaie : couronne danoise

Introduction

L'univers des contes, vous le connaissez sans doute depuis votre petite enfance : vous avez probablement tremblé en pensant à l'horrible sorcière qui désirait empoisonner Blanche-Neige, plaint le Petit Poucet que ses parents voulaient abandonner dans la forêt avec ses frères, rêvé d'être la Belle au bois dormant qu'un prince viendrait réveiller, envié la Bête que l'amour de la Belle métamorphosait en prince « plus beau que l'Amour »… Ces contes ont été inventés par Charles Perrault, les frères Grimm ou d'autre écrivains. Mais connaissez-vous ceux dont Hans Christian Andersen est l'auteur ? Oui, certainement, même si vous ne savez pas forcément que c'est lui qui a imaginé une petite sirène amoureuse d'un prince humain , prête à tout pour lui plaire, capable d'endurer les pires souffrances et de renoncer à sa voix pour lui. Même si vous ignorez que c'est de son imagination qu'est né le grand-duc habillé de vêtements invisibles dont il est si fier…

La Petite Sirène,
d'Edvard Eriksen,
à Copenhague.

Andersen a écrit beaucoup de contes, tout au long de sa vie, plus de 170 ! Dans certains d'entre eux, un monde magique surgit, peuplé de rois et de princesses, d'animaux qui parlent, d'arbres qui ressentent joies et peines… D'autres, au contraire, se déroulent dans un monde réel et normal, et ressemblent à des fables dont on peut tirer une morale. Vous allez découvrir, tout au long de ce recueil, un univers attachant, dans lequel Andersen puise parfois aux sources des traditions danoises et plus généralement nordiques, mais également, raconte, en les recouvrant du voile de l'imaginaire, ses propres expériences.

En lisant la vie de cet auteur danois connu du monde entier et traduit en quatre-vingt langues, vous comprendrez que c'est sa propre histoire qu'Andersen révèle lorsqu'il nous raconte les difficultés et le courage de la petite sirène ou du vilain petit canard, la misère de la petite marchande d'allumettes tentant vainement de se réchauffer dans la rue, un soir glacé d'hiver, ou bien encore la déception du porcher de ne pas être aimé pour ce qu'il est…

Lire les contes d'Andersen, c'est donc découvrir la réalité des traditions d'un pays situé tout au nord de l'Europe, le Danemark, que vous ne connaissez peut-être pas très bien ; c'est aussi vous familiariser avec un homme, l'auteur, à travers l'histoire de sa vie qui se cache derrière les personnages qu'il invente ; c'est enfin vivre passionnément les aventures d'êtres humains, d'animaux ou de végétaux et plonger dans leur monde, sous-marin, terrestre ou aérien, bien réel ou surnaturel, extraordinaire, merveilleux.

La Petite Sirène

Bien loin dans la mer, l'eau est bleue comme les feuilles des bluets[1], pure comme le verre le plus transparent, mais si profonde qu'il serait inutile d'y jeter l'ancre, et qu'il faudrait y entasser une quantité infinie de tours d'églises les unes sur les autres pour mesurer la distance du fond à la surface.

C'est là que demeure le peuple de la mer. Mais n'allez pas croire que ce fond se compose seulement de sable blanc ; non, il y croît[2] des plantes et des arbres bizarres, et si souples, que le moindre mouvement de l'eau les fait s'agiter comme s'ils étaient vivants. Tous les poissons, grands et petits, vont et viennent entre les branches comme les oiseaux dans l'air. À l'endroit le plus profond se trouve le château du roi de la mer, dont les murs sont

notes

1. **bluets :** bleuets.   2. **croît :** pousse.

15 de corail[1], les fenêtres de bel ambre jaune[2], et le toit de coquillages qui s'ouvrent et se ferment pour recevoir l'eau ou pour la rejeter. Chacun de ces coquillages renferme des perles brillantes dont la moindre ferait honneur à la couronne d'une reine.

20 Depuis plusieurs années, le roi de la mer était veuf, et sa vieille mère dirigeait sa maison. C'était une femme spirituelle, mais si fière de son rang, qu'elle portait douze huîtres à sa queue tandis que les autres grands personnages n'en portaient que six. Elle méritait des éloges pour les soins
25 qu'elle prodiguait à ses six petites filles, toutes princesses charmantes. Cependant la plus jeune était plus belle encore que les autres ; elle avait la peau douce et diaphane[3] comme une feuille de rose, les yeux bleus comme un lac profond ; mais elle n'avait pas de pieds : ainsi que ses sœurs, son corps
30 se terminait par une queue de poisson.

Toute la journée, les enfants jouaient dans les grandes salles du château, où des fleurs vivantes poussaient sur les murs. Lorsqu'on ouvrait les fenêtres d'ambre jaune, les poissons y entraient comme chez nous les hirondelles, et ils mangeaient
35 dans la main des petites princesses qui les caressaient. Devant le château était un grand jardin avec des arbres d'un bleu sombre ou d'un rouge de feu. Les fruits brillaient comme de l'or, et les fleurs, agitant sans cesse leur tige et leurs feuilles, ressemblaient à de petites flammes. Le sol se composait de

notes

1. corail : matière calcaire qui forme les coraux, appréciée en bijouterie.

2. ambre jaune : résine fossilisée, dure, transparente, qui peut s'électriser par frottement.

3. diaphane : blanche et fine.

40 sable blanc et fin, et une lueur bleue merveilleuse, qui se
répandait partout, aurait fait croire qu'on était dans l'air, au
milieu de l'azur du ciel, plutôt que sous la mer. Les jours de
calme, on pouvait apercevoir le soleil, semblable à une petite
fleur de pourpre[1] versant la lumière de son calice[2].

45 Chacune des princesses avait dans le jardin son petit terrain,
qu'elle pouvait cultiver selon son bon plaisir. L'une lui donnait la forme d'une baleine, l'autre celle d'une sirène ; mais
la plus jeune fit le sien rond comme le soleil, et n'y planta
que des fleurs rouges comme lui. C'était une enfant bizarre,
50 silencieuse et réfléchie. Lorsque ses sœurs jouaient avec différents objets provenant des bâtiments naufragés, elle s'amu-
sait à parer une jolie statuette de marbre blanc, représentant
un charmant petit garçon, placée sous un saule pleureur
magnifique, couleur de rose, qui la couvrait d'une ombre
55 violette. Son plus grand plaisir consistait à écouter des récits
sur le monde où vivent les hommes. Toujours elle priait sa
vieille grand-mère de lui parler des vaisseaux, des villes, des
hommes et des animaux.

Elle s'étonnait surtout que, sur la terre, les fleurs exhalassent[3]
60 un parfum qu'elles n'ont pas sous les eaux de la mer, et que
les forêts y fussent vertes. Elle ne pouvait pas imaginer
comment les poissons chantaient et sautillaient sur les arbres.
La grand-mère appelait les petits oiseaux des poissons ; sans
quoi elle ne se serait pas fait comprendre.

notes

1. pourpre : mollusque gastéropode dont la coquille ovoïde porte un siphon très court et qui secrète un liquide violacé qui devient rouge à l'air ; de couleur rouge foncé, tirant sur le violet.

2. calice : enveloppe extérieure de la fleur qui, le plus souvent, recouvre la base de la corolle ; ensemble des pétales.

3. exhalassent : du subjonctif imparfait, exhaler : sentir, répandre une odeur.

65 « Lorsque vous aurez quinze ans, dit la grand-mère, je vous donnerai la permission de monter à la surface de la mer et de vous asseoir au clair de la lune sur des rochers, pour voir passer les grands vaisseaux et faire connaissance avec les forêts et les villes. »

70 L'année suivante, l'aînée des sœurs allait atteindre sa quinzième année, et, comme il n'y avait qu'une année de différence entre chaque sœur, la plus jeune devait encore attendre cinq ans pour sortir du fond de la mer. Mais l'une promettait toujours à l'autre de lui faire le récit des merveilles

75 qu'elle aurait vues à sa première sortie ; car leur grand-mère ne parlait jamais assez, et il y avait tant de choses qu'elles brûlaient de savoir !

La plus curieuse, c'était certes la plus jeune ; souvent, la nuit, elle se tenait auprès de la fenêtre ouverte, cherchant à percer

80 de ses regards l'épaisseur de l'eau bleue que les poissons battaient de leurs nageoires et de leur queue. Elle aperçut en effet la lune et les étoiles, mais elles lui paraissaient toutes pâles et considérablement grossies par l'eau.

Lorsque quelque nuage noir les voilait, elle savait que c'était

85 une baleine ou un navire chargé d'hommes qui nageait au-dessus d'elle. Certes, ces hommes ne pensaient pas qu'une charmante petite sirène étendait au-dessous d'eux ses mains blanches vers la carène[1].

Le jour vint où la princesse aînée atteignit sa quinzième

90 année, et elle monta à la surface de la mer.

---

notes

1. carène : partie immergée de la coque d'un navire, placée sous la ligne de flottaison.

À son retour, elle avait mille choses à raconter. « Oh ! disait-elle, c'est délicieux de voir, étendue au clair de la lune sur un banc de sable, au milieu de la mer calme, les rivages de la grande ville où les lumières brillent comme des centaines d'étoiles ; d'entendre la musique harmonieuse, le son des cloches des églises, et tout ce bruit d'hommes et de voitures ! » Oh ! comme sa petite sœur l'écoutait attentivement ! Tous les soirs, debout à la fenêtre ouverte, regardant à travers l'énorme masse d'eau, elle rêvait à la grande ville, à son bruit et à ses lumières, et croyait entendre sonner les cloches tout près d'elle.

L'année suivante, la seconde des sœurs reçut la permission de monter. Elle sortit sa tête de l'eau au moment où le soleil touchait à l'horizon, et la magnificence[1] de ce spectacle la ravit au dernier point.

« Tout le ciel, disait-elle à son retour, ressemblait à de l'or, et la beauté des nuages était au-dessus de tout ce qu'on peut imaginer. Ils passaient devant moi, rouges et violets, et, au milieu d'eux volait vers le soleil, comme un long voile blanc, une bande de cygnes sauvages. Moi aussi, j'ai voulu nager vers le grand astre rouge ; mais tout à coup il a disparu, et la lueur rose qui teignait la surface de la mer ainsi que les nuages s'évanouit bientôt. »

Puis vint le tour de la troisième sœur. C'était la plus hardie, aussi elle remonta le cours d'un large fleuve. Elle vit d'admirables collines plantées de vignes, de châteaux et de fermes situés au milieu de forêts superbes. Elle entendit le chant des oiseaux, et la chaleur du soleil la força à se plonger plusieurs

notes

1. magnificence : beauté pleine de grandeur ; qualité de ce qui est magnifique.

fois dans l'eau pour rafraîchir sa figure. Dans une baie, elle
120 rencontra une foule de petits être humains qui jouaient en
se baignant. Elle voulut jouer avec eux, mais ils se sauvèrent
tout effrayés, et un animal noir, – c'était un chien –, se mit à
aboyer si terriblement qu'elle fut prise de peur et regagna
promptement[1] la pleine mer. Mais jamais elle ne put oublier
125 les superbes forêts, les collines vertes et les gentils enfants
qui savaient nager, quoiqu'ils n'eussent point de queue de
poisson.

La quatrième sœur, qui était moins hardie, aima mieux
rester au milieu de la mer sauvage, où la vue s'étendait à
130 plusieurs lieues, et où le ciel s'arrondissait au-dessus de
l'eau comme une grande cloche de verre. Elle apercevait de
loin les navires, pas plus grands que des mouettes ; les
dauphins joyeux faisaient des culbutes, et les baleines
colossales lançaient des jets d'eau de leurs narines.

135 Le tour de la cinquième arriva ; son jour tomba précisément
en hiver : aussi vit-elle ce que les autres n'avaient pas encore
pu voir. La mer avait une teinte verdâtre, et partout
nageaient, avec des formes bizarres, et brillantes comme des
diamants, des montagnes de glace. « Chacune d'elles, disait la
140 voyageuse, ressemble à une perle plus grosse que les tours
d'église que bâtissent les hommes. » Elle s'était assise sur une
des plus grandes, et tous les navigateurs se sauvaient de cet
endroit où elle abandonnait sa longue chevelure au gré des
vents. Le soir, un orage couvrit le ciel de nuées ; les éclairs
145 brillèrent, le tonnerre gronda, tandis que la mer, noire et
agitée, élevant les grands monceaux de glace, les faisait briller
de l'éclat rouge des éclairs. Toutes les voiles furent serrées, la

notes
_____
1. promptement :
rapidement.

terreur se répandit partout ; mais elle, tranquillement assise sur sa montagne de glace, vit la foudre tomber en zigzag sur l'eau luisante.

La première fois qu'une des sœurs sortait de l'eau, elle était toujours enchantée de toutes les nouvelles choses qu'elle apercevait ; mais, une fois grandie, lorsqu'elle pouvait monter à loisir[1], le charme disparaissait, et elle disait au bout d'un mois qu'en bas tout était bien plus gentil, et que rien ne valait son chez-soi.

Souvent, le soir, les cinq sœurs, se tenant par le bras, montaient ainsi à la surface de l'eau. Elles avaient des voix enchanteresses comme nulle créature humaine, et, si par hasard quelque orage leur faisait croire qu'un navire allait sombrer, elles nageaient devant lui et entonnaient[2] des chants magnifiques sur la beauté du fond de la mer, invitant les marins à leur rendre visite. Mais ceux-ci ne pouvaient comprendre les paroles des sirènes, et ils ne virent jamais les magnificences qu'elles célébraient ; car, aussitôt le navire englouti, les hommes se noyaient, et leurs cadavres seuls arrivaient au château du roi de la mer.

Pendant l'absence de ses cinq sœurs, la plus jeune, restée seule auprès de la fenêtre, les suivait du regard et avait envie de pleurer. Mais une sirène n'a point de larmes, et son cœur en souffre davantage.

« Oh ! si j'avais quinze ans ! disait-elle, je sens déjà combien j'aimerais le monde d'en haut et les hommes qui l'habitent. » Le jour vint où elle eut quinze ans.

notes

1. *à loisir :* aussi souvent qu'elle le voulait.

2. *entonnaient :* commençaient à chanter.

Au fil du texte

AVEZ-VOUS BIEN LU ?

1. Dans quel endroit ce conte débute-t-il ?
Quels végétaux, quels animaux y trouve-t-on ?
Quels personnages habitent ce lieu ?

2. L'un des personnages semble différent des autres :
lequel et pourquoi ?

merveilleux :
qui relève de l'inexplicable, du surnaturel.

3. Résumez, pour chacune des sirènes, ce qu'elle
découvre du monde, le jour de ses quinze ans.
À quelle conclusion aboutissent-elles toutes ?

ÉTUDIER LE DISCOURS ET LE GENRE DU TEXTE

champ lexical :
ensemble des mots et expressions qui se rapportent à un même thème.

4. Dans la phrase « *Mais n'allez pas croire que* [...]
non » lignes 7-8, qui parle ? À qui ces paroles sont-
elles adressées ? Pour quelle raison ?

5. Citez au moins trois caractéristiques ou actions
des personnages qui vous indiquent que le récit
se situe dans un monde merveilleux★.

ÉTUDIER L'ÉCRITURE ET LE VOCABULAIRE

6. Relevez tous les mots appartenant au champ
lexical★ de la mer dans les deux premiers
paragraphes. Puis relevez ceux qui appartiennent
au champ lexical de la terre. Pourquoi trouve-t-on
ces deux champs lexicaux mêlés ?

7. Ce début de conte contient de nombreuses
comparaisons★. Choisissez-en trois ; pour chacune
d'entre elles faites un schéma qui indiquera

le comparé, le comparant, l'outil de comparaison
et la raison du rapprochement.

8. Le lieu où habite le peuple de la mer est-il
un endroit accueillant, mystérieux, effrayant ?
Justifiez votre réponse.

ÉTUDIER LA GRAMMAIRE :
RÉVISER LE PRÉSENT DE L'INDICATIF

9. Les deux premiers paragraphes du récit sont
écrits au présent de l'indicatif. Pourquoi ?

10. Conjuguez à l'oral, à toutes les personnes, au
présent de l'indicatif, la phrase : *« Je suis une sirène
et j'ai une queue de poisson. »*, en faisant les accords
nécessaires.

11. Puis faites de même avec la phrase : *« J'habite
un palais, je me nourris de rêves et je crois au bonheur. »*

À VOS PINCEAUX !

12. Faites un tableau qui récapitulera la conjugaison,
au présent de l'indicatif, des auxiliaires, des verbes
des trois groupes, en mettant le radical en bleu
et les terminaisons en rouge.
Verbes-types : *avoir, être, habiter, se nourrir* et *croire*.

13. Représentez le palais royal sous-marin d'après
la description qu'en fait Andersen. Vous pourrez
le réaliser sur un panneau en utilisant le dessin,
la peinture, les collages et des éléments naturels
(sable, algues séchées, morceaux de coquillages,
bois...), ce qui vous permettra d'obtenir un panneau
en trois dimensions.

comparaison :
figure de style
consistant
à mettre
en relation
deux éléments
(le comparé :
ce que l'on
compare, et
le comparant :
ce avec quoi
l'on compare),
en les unissant
par un mot ou
une expression
appelé outil de
comparaison
(comme, tel
ainsi que...).

175 « Tu vas partir, lui dit sa grand-mère, la vieille reine douairière[1] : viens que je fasse ta toilette comme à tes sœurs. »

Et elle posa sur ses cheveux une couronne de lis blancs dont chaque feuille était la moitié d'une perle ; puis elle fit atta-
180 cher à la queue de la princesse huit grandes huîtres pour désigner son rang élevé.

« Comme elles me font mal ! dit la petite sirène.

– Si l'on veut être bien habillée, il faut souffrir un peu », répliqua la vieille reine.

185 Cependant la jeune fille aurait volontiers rejeté tout ce luxe et la lourde couronne qui pesait sur sa tête. Les fleurs rouges de son jardin lui allaient beaucoup mieux ; mais elle n'osa pas faire d'observations.

« Adieu ! » dit-elle ; et, légère comme une bulle de savon, elle
190 traversa l'eau.

Lorsque sa tête apparut à la surface de la mer, le soleil venait de se coucher ; mais les nuages brillaient encore comme des roses et de l'or, et l'étoile du soir étincelait au milieu du ciel. L'air était doux et frais, la mer paisible. Près de la petite sirène
195 se trouvait un navire à trois mâts ; il n'avait qu'une voile dehors, à cause du calme, et les matelots étaient assis sur les vergues[2] et sur les cordages. La musique et les chants y résonnaient sans cesse, et à l'approche de la nuit on alluma cent lanternes de diverses couleurs. Suspendus aux cordages,
200 on aurait cru voir les pavillons[3] de toutes les nations. La petite sirène nagea jusqu'à la fenêtre de la grande chambre,

notes

1. douairière : veuve qui a hérité des biens de son mari ; par extension, vieille dame de la haute société.

2. vergues : poutres de bois disposées en croix sur l'avant des mâts, et servant à porter la voile qui y est fixée.

3. pavillons : pièces d'étoffe que l'on hisse sur les navires pour indiquer leur nationalité, la compagnie de navigation à laquelle ils appartiennent, ou pour faire des signaux.

et, chaque fois que l'eau la soulevait, elle apercevait à travers les vitres transparentes une quantité d'hommes magnifiquement habillés. Le plus beau d'entre eux était un jeune prince
205 aux grands cheveux noirs, âgé d'environ seize ans, et c'était pour célébrer sa fête que tous ces préparatifs avaient lieu.

Les matelots dansaient sur le pont, et, lorsque le jeune prince s'y montra, cent fusées s'élevèrent dans les airs, répandant une lumière comme celle du jour. La petite sirène eut peur
210 et s'enfonça dans l'eau ; mais bientôt elle reparut, et alors toutes les étoiles du ciel semblèrent pleuvoir sur elle. Jamais elle n'avait vu un pareil feu d'artifice ; de grands soleils tournaient, des poissons de feu fendaient l'air, et toute la mer, pure et calme, brillait. Sur le navire on pouvait voir chaque
215 petit cordage, et encore mieux les hommes. Oh ! que le jeune prince était beau ! Il serrait la main à tout le monde, parlait et souriait à chacun tandis que la musique envoyait dans la nuit ses sons harmonieux.

Il était tard, mais la petite sirène ne put se lasser d'admirer le
220 vaisseau et le beau prince. Les lanternes ne brillaient plus, et les coups de canon avaient cessé ; toutes les voiles furent successivement déployées et le vaisseau s'avança rapidement sur l'eau. La princesse le suivit, sans détourner un instant ses regards de la fenêtre. Mais bientôt la mer commença à
225 s'agiter ; les vagues grossissaient, et de grands nuages noirs s'amoncelaient dans le ciel. Dans le lointain brillaient les éclairs, un orage terrible se préparait. Le vaisseau se balançait sur la mer impétueuse[1], dans une marche rapide. Les vagues, se dressant comme de hautes montagnes, tantôt le faisaient
230 rouler entre elles comme un cygne, tantôt l'élevaient sur leur

notes

1. impétueuse : déchaînée, tumultueuse.

cime. La petite sirène se plut d'abord à ce voyage accidenté ; mais, lorsque le vaisseau, subissant de violentes secousses, commença à craquer, lorsque tout à coup le mât se brisa comme un jonc[1], et que le vaisseau se pencha d'un côté tandis que l'eau pénétrait dans la cale, alors elle comprit le danger, et elle dut prendre garde elle-même aux poutres et aux débris qui se détachaient du bâtiment.

Par moments, il se faisait une telle obscurité, qu'elle ne distinguait absolument rien ; d'autres fois, les éclairs lui rendaient visibles les moindres détails de cette scène. L'agitation était à son comble sur le navire ; encore une secousse ! il se fendit tout à fait, et elle vit le jeune prince s'engloutir dans la mer profonde. Transportée de joie, elle crut qu'il allait descendre dans sa demeure ; mais elle se rappela que les hommes ne peuvent vivre dans l'eau, et que, par conséquent, il arriverait mort au château de son père. Alors, pour le sauver, elle traversa à la nage les poutres et les planches éparses sur la mer, au risque de se faire écraser, plongea profondément sous l'eau à plusieurs reprises, et ainsi elle arriva jusqu'au jeune prince, au moment où ses forces commençaient à l'abandonner et où il fermait déjà les yeux, près de mourir. La petite sirène le saisit, soutint sa tête au-dessus de l'eau, puis s'abandonna avec lui au caprice des vagues.

Le lendemain matin, le beau temps était revenu, mais il ne restait plus rien du vaisseau. Un soleil rouge, aux rayons pénétrants, semblait rappeler la vie sur les joues du prince ; mais ses yeux restaient toujours fermés. La sirène déposa un baiser sur son front et releva ses cheveux mouillés. Elle lui

notes

1. jonc : plante à hautes tiges droites et flexibles qui pousse dans l'eau et les terrains très humides.

trouva une ressemblance avec la statue de marbre de son
260 petit jardin, et fit des vœux pour son salut. Elle passa devant
la terre ferme, couverte de hautes montagnes bleues à la
cime desquelles brillait la neige blanche. Au pied de la côte,
au milieu d'une superbe forêt verte, s'étendait un village
avec une église ou un couvent. En dehors des portes s'éle-
265 vaient de grands palmiers, et dans les jardins croissaient des
orangers et des citronniers ; non loin de cet endroit, la mer
formait un petit golfe s'allongeant jusqu'à un rocher couvert
d'un sable fin et blanc. C'est là que la sirène déposa le prince,
ayant soin de lui tenir la tête haute et de la présenter aux
270 rayons du soleil.

Bientôt les cloches de l'église commencèrent à sonner, et
une quantité de jeunes filles apparurent dans un des jardins.
La petite sirène s'éloigna en nageant, et se cacha derrière
quelques grosses pierres pour observer ce qui arriverait au
275 pauvre prince.

Quelques moments après, une des jeunes filles vint à passer
devant lui ; d'abord elle parut s'effrayer, mais, se remettant
aussitôt, elle courut chercher d'autres personnes qui
prodiguèrent[1] au prince toute espèce de soins. La sirène le
280 vit reprendre ses sens et sourire à tous ceux qui l'entouraient ; à elle seule il ne sourit pas, ignorant qui l'avait sauvé.
Aussi, lorsqu'elle le vit conduire dans une grande maison,
elle plongea tristement et retourna au château de son père.

Elle avait toujours été silencieuse et réfléchie ; à partir de ce
285 jour, elle le devint encore davantage. Ses sœurs la question-
nèrent sur ce qu'elle avait vu là-haut, mais elle ne raconta
rien.

notes

---

1. prodiguèrent : donnèrent
généreusement.

Plus d'une fois, le soir et le matin, elle retourna à l'endroit où elle avait laissé le prince. Elle vit mûrir les fruits du jardin, elle vit fondre la neige sur les hautes montagnes, mais elle ne vit pas le prince ; et elle retournait toujours plus triste au fond de la mer. Là, sa seule consolation était de s'asseoir dans son petit jardin et d'entourer de ses bras la jolie statuette de marbre qui ressemblait au prince, tandis que ses fleurs négligées, oubliées, s'allongeaient dans les allées comme dans un lieu sauvage, entrelaçaient leurs longues tiges dans les branches des arbres, et formaient ainsi des voûtes épaisses qui obstruaient[1] la lumière.

Enfin cette existence lui devint insupportable ; elle confia tout à une de ses sœurs, qui le raconta aussitôt aux autres, mais à elles seules, et à quelques autres sirènes qui ne le répétèrent qu'à leurs amies intimes. Il se trouva qu'une de ces dernières, ayant vu aussi la fête célébrée sur le vaisseau, connaissait le prince et savait l'endroit où était situé son royaume.

«Viens, petite sœur», dirent les autres princesses ; et, s'entrelaçant les bras sur les épaules, elles s'élevèrent en file sur la mer devant le château du prince.

Ce château était construit de pierres jaunes et luisantes ; de grands escaliers de marbre conduisaient à l'intérieur et au jardin ; plusieurs dômes[2] dorés brillaient sur le toit, et, entre les colonnes des galeries, se trouvaient des statues de marbre qui paraissaient vivantes. Les salles, magnifiques, étaient ornées de rideaux et de tapis incomparables, et les murs couverts de grandes peintures. Dans le grand salon, le soleil

notes

---

1. obstruaient : bouchaient.

2. dômes : voûtes demi-sphériques surmontant un édifice.

réchauffait, à travers un plafond de cristal, les plantes les plus rares, qui poussaient dans un grand bassin au-dessous de plusieurs jets d'eau.

320 Dès lors, la petite sirène revint souvent à cet endroit, la nuit comme le jour ; elle s'approchait de la côte, et osait même s'asseoir sous le grand balcon de marbre qui projetait son ombre bien avant sur les eaux. De là, elle voyait au clair de lune le jeune prince, qui se croyait seul ; souvent, au son de la musique, il passa devant elle dans un riche bateau pavoisé[1],
325 et ceux qui apercevaient son voile blanc dans les roseaux verts la prenaient pour un cygne ouvrant ses ailes.

Elle entendait aussi les pêcheurs dire beaucoup de bien du jeune prince, et alors elle se réjouissait de lui avoir sauvé la vie, quoiqu'il l'ignorât complètement. Son affection pour les
330 hommes croissait de jour en jour ; de jour en jour aussi elle désirait davantage s'élever jusqu'à eux. Leur monde lui semblait bien plus vaste que le sien ; ils savaient franchir la mer avec des navires, grimper sur les hautes montagnes au-delà des nues[2] ; ils jouissaient d'immenses forêts et de champs
335 verdoyants. Ses sœurs ne pouvant satisfaire toute sa curiosité, elle questionna sa vieille grand-mère, qui connaissait bien le monde plus élevé, celui qu'elle appelait à juste titre les pays au-dessus de la mer.

« Si les hommes ne se noient pas, demanda la jeune prin-
340 cesse, est-ce qu'ils vivent éternellement ? Ne meurent-ils pas comme nous ?

– Sans doute, répondit la vieille, ils meurent, et leur existence est même plus courte que la nôtre. Nous autres, nous vivons

notes

1. pavoisé : orné de drapeaux.
2. nues : nuages.

quelquefois trois cents ans ; puis, cessant d'exister, nous nous
transformons en écume, car au fond de la mer ne se trouvent point de tombes pour recevoir les corps inanimés.
Notre âme n'est pas immortelle ; avec la mort tout est fini.
Nous sommes comme les roseaux verts : une fois coupés, ils
ne verdissent plus jamais ! Les hommes, au contraire, possèdent une âme qui vit éternellement, qui vit après que leur
corps s'est changé en poussière ; cette âme monte à travers
la subtilité[1] de l'air jusqu'aux étoiles qui brillent, et, de
même que nous nous élevons du fond des eaux pour voir le
pays des hommes, ainsi eux s'élèvent à de délicieux endroits
immenses, inaccessibles aux peuples de la mer.

— Mais pourquoi n'avons-nous pas aussi une âme immortelle ? dit la petite sirène affligée[2] ; je donnerais volontiers
les centaines d'années qui me restent à vivre pour être
homme, ne fût-ce qu'un jour, et participer ensuite au
monde céleste[3].

— Ne pense pas à de pareilles sottises, répliqua la vieille ;
nous sommes bien plus heureux ici en bas que les hommes
là-haut.

— Il faut donc un jour que je meure ; je ne serai plus qu'un
peu d'écume ; pour moi plus de murmure des vagues, plus
de fleurs, plus de soleil ! N'est-il donc aucun moyen pour
moi d'acquérir une âme immortelle ?

— Un seul, mais à peu près impossible. Il faudrait qu'un
homme conçût pour toi un amour infini, que tu lui
devinsses plus chère que son père et sa mère. Alors, attaché à
toi de toute son âme et de tout son cœur, s'il faisait unir par

---

notes

1. subtilité : légèreté
presqu'imperceptible.

2. affligée : très triste.

3. céleste : du ciel.

un prêtre sa main droite à la tienne en promettant une fidé-
lité éternelle, son âme se communiquerait à ton corps, et tu
serais admise au bonheur des hommes. Mais jamais une telle
375 chose ne pourra se faire ! Ce qui passe ici dans la mer pour
la plus grande beauté, ta queue de poisson, ils la trouvent
détestable sur la terre. Pauvres hommes ! Pour être beaux,
ils s'imaginent qu'il leur faut deux supports grossiers, qu'ils
appellent jambes ! »
380 La petite sirène soupira tristement en regardant sa queue de
poisson.
« Soyons gaies ! dit la vieille ; sautons et amusons-nous le
plus possible pendant les trois cents années de notre existence ; c'est, ma foi, un laps[1] de temps assez gentil, nous nous
385 reposerons d'autant mieux après. Ce soir il y a bal à la cour. »
On ne peut se faire une idée sur la terre d'une pareille
magnificence. La grande salle de danse tout entière n'était
que de cristal ; des milliers de coquillages énormes, rangés de
chaque côté, éclairaient la salle d'une lumière bleuâtre, qui,
390 à travers les murs transparents, illuminait aussi la mer au-
dehors. On y voyait nager d'innombrables poissons, grands
et petits, couverts d'écailles luisantes comme de la pourpre[2],
de l'or et de l'argent.
Au milieu de la salle, coulait une large rivière, sur laquelle
395 dansaient les dauphins et les sirènes au son de leur propre
voix, qui était superbe. La petite sirène fut celle qui chanta
le mieux, et on l'applaudit si fort, que pendant un instant la
satisfaction lui fit oublier les merveilles de la terre. Mais

notes

1. laps : espace (de temps).
2. pourpre : voir note p. 9.

bientôt elle reprit ses anciens chagrins, pensant au beau prince et à son âme immortelle. Elle quitta le chant et les rires, sortit tout doucement du château, et s'assit dans son petit jardin. Là, elle entendit le son des cors[1] qui pénétrait l'eau.

« Le voilà qui passe, celui que j'aime de tout mon cœur et de toute mon âme, celui qui occupe toutes mes pensées, à qui je voudrais confier le bonheur de ma vie ! Je risquerais tout pour lui et pour gagner une âme immortelle. Pendant que mes sœurs dansent dans le château de mon père, je vais aller trouver la sorcière de la mer, que j'ai tant eue en horreur jusqu'à ce jour. Elle pourra peut-être me donner des conseils et me venir en aide. »

notes

1. cors : instruments de musique à vent en métal, contournés en spirale et terminés par une partie évasée.

Au fil du texte

AVEZ-VOUS BIEN LU ?

1. En quel honneur le roi donne-t-il une fête ? Montrez que cette fête est un plaisir autant visuel qu'auditif. À quel moment la fête tourne-t-elle au cauchemar ?

2. Pourquoi la petite sirène sauve-t-elle le prince ? Comment parvient-elle à lui éviter la noyade ? Pourquoi s'en retourne-t-elle au fond de la mer ?

3. Pourquoi la petite sirène trouve-t-elle son existence au fond de la mer insupportable ? À qui demande-t-elle de l'aide ?

4. Où le prince habite-t-il ?

5. Au fur et à mesure que la petite sirène découvre le monde des humains, quel devient son vœu le plus cher ? Pourquoi ne peut-elle le réaliser ?

6. Rappelez brièvement ce qui distingue une sirène d'une humaine, physiquement, dans le mode de vie et dans la vie après la mort.

> *champ lexical :* ensemble des mots et expressions qui se rapportent à un même thème

VOCABULAIRE ET ÉCRITURE

7. Quel est le champ lexical* dominant, lignes 224 à 253 ? Relevez les mots lui appartenant. Puis complétez la liste par des verbes, des noms, des adjectifs.

ÉTUDIER LA GRAMMAIRE : RÉVISER L'IMPARFAIT ET LE PASSÉ SIMPLE

8. Relevez, lignes 191 à 224, les verbes conjugués à l'imparfait de l'indicatif. Choisissez, parmi eux,

un verbe du premier groupe et conjuguez-le,
à toutes les personnes, à l'imparfait.

9. Même consigne avec un verbe du deuxième, puis
du troisième groupe et avec les deux auxiliaires.

10. Déduisez quelles sont les terminaisons
communes à tous les verbes conjugués à l'imparfait.

11. Pourquoi ces verbes sont-ils conjugués
à l'imparfait de l'indicatif ?

12. Relevez maintenant, dans les mêmes
paragraphes, les verbes conjugués au passé simple
de l'indicatif en les classant comme aux questions 8
et 9. Quelles remarques pouvez-vous faire sur
les terminaisons du passé simple ?

*système
du passé :*
**système
de temps
où l'on utilise
principalement
l'imparfait,
le passé simple,
le plus-que-
parfait,
le passé
antérieur.**

À VOS PLUMES !

13. Vous avez vu, en réalité ou dans un film
(ou l'on vous a raconté) le naufrage d'un bateau
dont le ou les personnes à bord sortent saines et
sauves : faites ce récit, qui comportera une vingtaine
de lignes au minimum. En réutilisant certains
des mots trouvés à la question 7, vous décrirez le
déchaînement des flots, et la terreur ou le sang-froid,
le courage ou la peur des personnes à bord.
Vous utiliserez le système du passé★.

LIRE L'IMAGE

14. Relevez, entre les lignes 177 et 200, cinq
éléments figurant sur l'illustration de la page 17.

15. Comment le dessinateur a-t-il mis en évidence
la taille du bateau (cadrage, détails de l'image...) ?

Et la petite sirène, sortant de son jardin, se dirigea vers les tourbillons mugissants derrière lesquels demeurait la sorcière. Jamais elle n'avait suivi ce chemin. Pas une fleur ni un brin d'herbe n'y poussait. Le fond de sable, gris et nu, s'étendait jusqu'à l'endroit où l'eau, comme des meules de moulin, tournait rapidement sur elle-même, engloutissant tout ce qu'elle pouvait attraper. La princesse se vit obligée de traverser ces terribles tourbillons pour arriver aux domaines de la sorcière, dont la maison s'élevait au milieu d'une forêt étrange. Tous les arbres et tous les buissons n'étaient que des polypes[1], moitié animaux, moitié plantes, pareils à des serpents à cent têtes sortant de terre. Les branches étaient des bras longs et gluants, terminés par des doigts en forme de vers, et qui remuaient continuellement. Ces bras s'enlaçaient sur tout ce qu'ils pouvaient saisir, et ne le lâchaient plus.

La petite sirène, prise de frayeur, aurait voulu s'en retourner ; mais en pensant au prince et à l'âme de l'homme, elle s'arma de tout son courage. Elle attacha autour de sa tête sa longue chevelure flottante, pour que les polypes ne pussent la saisir, croisa ses bras sur sa poitrine, et nagea ainsi, rapide comme un poisson, parmi ces vilaines créatures dont chacune serrait comme avec des liens de fer quelque chose entre ses bras, soit des squelettes blancs de naufragés, soit des rames, des caisses ou des carcasses d'animaux. Pour comble d'effroi, la princesse en vit une qui enlaçait une petite sirène étouffée. Enfin elle arriva à une grande place dans la forêt, où de gros serpents de mer se roulaient en montrant leur hideux[2]

notes

1. polypes : petits animaux marins, qui possèdent, comme les méduses, de nombreux tentacules.

2. hideux : d'une laideur repoussante, horrible.

ventre jaunâtre. Au milieu de cette place se trouvait la
maison de la sorcière, construite avec les os des naufragés, et
où la sorcière, assise sur une grosse pierre, donnait à manger
à un crapaud dans sa main, comme les hommes font
manger du sucre aux petits canaris. Elle appelait les affreux
serpents ses petits poulets, et se plaisait à les faire rouler sur
sa grosse poitrine spongieuse[1].

« Je sais ce que tu veux, s'écria-t-elle en apercevant la princesse ; tes désirs sont stupides ; néanmoins je m'y prêterai, car
je sais qu'ils te porteront malheur. Tu veux te débarrasser de ta
queue de poisson, et la remplacer par deux de ces pièces avec
lesquelles marchent les hommes, afin que le prince s'amou-
rache de toi, t'épouse et te donne une âme immortelle. »
À ces mots elle éclata d'un rire épouvantable, qui fit tomber
à terre le crapaud et les serpents.

« Enfin tu as bien fait de venir ; demain, au lever du soleil,
c'eût été trop tard, et il t'aurait fallu attendre encore une
année. Je vais te préparer un élixir[2] que tu emporteras à terre
avant le point du jour. Assieds-toi sur la côte, et bois-le.
Aussitôt ta queue se rétrécira et se partagera en ce que les
hommes appellent deux belles jambes. Mais je te préviens
que cela te fera souffrir comme si l'on te coupait avec une
épée tranchante. Tout le monde admirera ta beauté, tu
conserveras ta marche légère et gracieuse, mais chacun de
tes pas te causera autant de douleur que si tu marchais sur
des pointes d'épingle, et fera couler ton sang. Si tu veux
endurer toutes ces souffrances, je consens à t'aider.

notes

1. spongieuse : qui
s'imbibe de liquide,
comme une éponge.

2. élixir : préparation liquide
composée de différents
éléments, destinée
à être avalée.

– Je les supporterai ! dit la sirène d'une voix tremblante, en pensant au prince et à l'âme immortelle.

– Mais souviens-toi, continua la sorcière, qu'une fois changée en être humain, jamais tu ne pourras redevenir sirène !

470 Jamais tu ne reverras le château de ton père ; et si le prince, oubliant son père et sa mère, ne s'attache pas à toi de tout son cœur et de toute son âme, ou s'il ne veut pas faire bénir votre union par un prêtre, tu n'auras jamais une âme immortelle. Le jour où il épousera une autre femme, ton cœur

475 se brisera, et tu ne seras plus qu'un peu d'écume sur la cime des vagues.

– J'y consens, dit la princesse, pâle comme la mort.

– En ce cas, poursuivit la sorcière, il faut aussi que tu me payes ; et je ne demande pas peu de chose. Ta voix est la plus

480 belle parmi celles du fond de la mer, tu penses avec elle enchanter le prince, mais c'est précisément ta voix que j'exige en payement. Je veux ce que tu as de plus beau en échange de mon précieux élixir ; car, pour le rendre bien efficace, je dois y verser mon propre sang.

485 – Mais si tu prends ma voix, demanda la petite sirène, que me restera-t-il ?

– Ta charmante figure, répondit la sorcière, ta marche légère et gracieuse, et tes yeux expressifs : cela suffit pour entortiller le cœur d'un homme. Allons ! du courage ! Tire ta langue,

490 que je la coupe, puis je te donnerai l'élixir.

– Soit ! » répondit la princesse, et la sorcière lui coupa la langue. La pauvre enfant resta muette.

Là-dessus, la sorcière mit son chaudron sur le feu, pour faire bouillir la boisson magique.

495 « La propreté est une bonne chose », dit-elle en prenant un paquet de vipères pour nettoyer le chaudron. Puis, se faisant une entaille dans la poitrine, elle laissa couler son sang noir dans le chaudron.

Une vapeur épaisse en sortit, formant des figures bizarres, affreuses. À chaque instant, la vieille ajoutait un nouvel ingrédient[1], et, lorsque le mélange bouillit à gros bouillons, il rendit un son pareil aux gémissements du crocodile. L'élixir, une fois préparé, ressemblait à de l'eau claire. « Le voici, dit la sorcière, après l'avoir versé dans une fiole[2]. Si les polypes voulaient te saisir, quand tu t'en retourneras par ma forêt, tu n'as qu'à leur jeter une goutte de cette boisson, et ils éclateront en mille morceaux. »

Ce conseil était inutile ; car les polypes, en apercevant l'élixir qui luisait dans la main de la princesse comme une étoile, reculèrent effrayés devant elle. Ainsi, elle traversa la forêt et les tourbillons mugissants.

Quand elle arriva au château de son père, les lumières de la grande salle de danse étaient éteintes ; tout le monde dormait, sans doute, mais elle n'osa pas entrer. Elle ne pouvait plus leur parler, et bientôt elle allait les quitter pour jamais[3]. Il lui semblait que son cœur se brisait de chagrin. Elle se glissa ensuite dans le jardin, cueillit une fleur de chaque parterre de ses sœurs, envoya du bout des doigts mille baisers au château, et monta à la surface de la mer.

Le soleil ne s'était pas encore levé lorsqu'elle vit le château du prince. Elle s'assit sur la côte, et but l'élixir ; ce fut comme si une épée effilée[4] lui traversait le corps ; elle s'évanouit et resta comme morte. Le soleil brillait déjà sur la mer lorsqu'elle se réveilla, éprouvant une douleur cuisante. Mais en face d'elle était le beau prince, qui attachait sur elle ses yeux noirs. La petite sirène baissa les siens, et alors elle vit que sa

notes

1. ingrédient : élément qui entre dans la composition d'une préparation ou d'un mélange.

2. fiole : petite bouteille de verre à col étroit.

3. pour jamais : pour toujours.

4. effilée : mince et allongée.

queue de poisson avait disparu, et que deux jambes blanches et gracieuses la remplaçaient.

Le prince lui demanda qui elle était et d'où elle venait ; elle
530 le regarda d'un air doux et affligé, sans pouvoir dire un mot. Puis le jeune homme la prit par la main et la conduisit au château. Chaque pas, comme avait dit la sorcière, lui causait des douleurs atroces ; cependant, au bras du prince, elle monta l'escalier de marbre, légère comme une bulle de
535 savon, et tout le monde admira sa marche gracieuse. On la revêtit de soie et de mousseline, sans pouvoir assez admirer sa beauté ; mais elle restait toujours muette. Des esclaves, habillées de soie et d'or, chantaient devant le prince les exploits de ses ancêtres ; elles chantaient bien, et le prince les
540 applaudissait en souriant à la jeune fille.

« S'il savait, pensa-t-elle, que pour lui j'ai sacrifié une voix plus belle encore ! »

Après le chant, les esclaves exécutèrent une danse gracieuse au son d'une musique charmante. Mais lorsque la petite
545 sirène se mit à danser, élevant ses bras blancs et se tenant sur la pointe des pieds, sans toucher presque le plancher, tandis que ses yeux parlaient au cœur mieux que le chant des esclaves, tous furent ravis en extase ; le prince s'écria qu'elle ne le quitterait jamais, et lui permit de dormir à sa porte sur
550 un coussin de velours. Tout le monde ignorait les souffrances qu'elle avait endurées en dansant.

Le lendemain, le prince lui donna un costume d'amazone[1] pour qu'elle le suivît à cheval. Ils traversèrent ainsi les forêts

notes

1. amazone : femme qui monte à cheval, les deux jambes du même côté de la selle.

555 parfumées et gravirent les hautes montagnes ; la princesse, tout en riant, sentait saigner ses pieds.

La nuit, lorsque les autres dormaient, elle descendit secrètement l'escalier de marbre et se rendit à la côte pour rafraîchir ses pieds brûlants dans l'eau froide de la mer, et le souvenir de sa patrie revint à son esprit.

560 Une nuit, elle aperçut ses sœurs se tenant par la main ; elles chantaient si tristement en nageant, que la petite sirène ne put s'empêcher de leur faire signe. L'ayant reconnue, elles lui racontèrent combien elle leur avait causé de chagrin. Toutes les nuits elles revinrent, et, une fois, elles amenèrent aussi la 565 vieille grand-mère, qui depuis nombre d'années n'avait pas mis la tête hors de l'eau, et le roi de la mer avec sa couronne de corail. Tous les deux étendirent leurs mains vers leur fille ; mais ils n'osèrent pas, comme ses sœurs, s'approcher de la côte.

570 Tous les jours, le prince l'aimait de plus en plus, mais il l'aimait comme on aime une enfant bonne et gentille, sans avoir l'idée d'en faire sa femme. Cependant, pour qu'elle eût une âme immortelle et qu'elle ne devînt pas un jour un peu d'écume, il fallait que le prince épousât la sirène.

Au fil du texte

AVEZ-VOUS BIEN LU ?

1. Auprès de qui la petite sirène a-t-elle décidé de chercher de l'aide ?

2. Pourquoi le domaine de la sorcière est-il effrayant ?

3. Relevez, lignes 425 à 477, les phrases qui prouvent que la petite sirène a peur. Quelle idée lui permet de surmonter cette peur ?

4. Quel marché la sorcière lui propose-t-elle ? Pour répondre, résumez ce qu'elle lui promet, ce qu'elle exige d'elle, et les risques contre lesquels elle la met en garde.

ÉTUDIER LE DISCOURS

5. Relevez les différentes phrases par lesquelles la petite sirène donne son accord à la sorcière ?

ÉTUDIER UN GENRE

6. La petite sirène explique-t-elle à la sorcière la raison de sa venue ? Pourquoi ? Celle-ci est-elle une adjuvante* ? une opposante* ? les deux à la fois ?

7. L'élixir est-il un élément magique ? Pour répondre, pensez à sa composition et à ses effets. En une phrase, montrez que la sirène subit une vraie métamorphose*.

ÉTUDIER L'ÉCRITURE

8. Relevez, lignes 411 à 453, les adjectifs, les noms et les verbes qui créent une atmosphère effrayante, en les classant.

adjuvants : qui aident quelqu'un.

opposants : qui s'opposent à quelqu'un ou le gênent.

métamorphose : changement de forme, de nature ou de structure, si considérable que l'être ou la chose qui en est l'objet n'est plus reconnaissable.

9. La souffrance prédite par la sorcière est évoquée plusieurs fois. De quelle souffrance s'agit-il ?

ÉTUDIER LA GRAMMAIRE : RÉVISER LE FUTUR DE L'INDICATIF ET LE CONDITIONNEL PRÉSENT

10. Relevez, lignes 446 à 476, les verbes conjugués au futur de l'indicatif et conjuguez ces verbes à ce temps et à toutes les personnes.

11. Aux lignes 460 à 464, faites débuter la phrase par « Si tu buvais l'élixir... ». À quel mode sont alors conjugués la plupart des verbes ? Conjuguez les auxiliaires *être* et *avoir*, et un autre verbe de votre choix au conditionnel présent.

verbes de parole : verbes indiquant qu'un personnage prend la parole (dire, murmurer, s'exclamer...).

À VOS PLUMES ! À VOS PINCEAUX !

12. Une sorcière vous propose un pacte : en échange de l'une de vos facultés ou de l'un de vos cinq sens, vous pouvez réaliser un vœu qui vous est cher. Racontez la scène. Vous pourrez introduire quelques phrases de dialogue en variant les verbes de parole★. Vous utiliserez le futur de l'indicatif et le conditionnel présent.

13. Imaginez que vous pouvez vous métamorphoser★ en animal : lequel choisiriez-vous et quelle serait votre vie ? Vous écrirez une vingtaine de lignes et commencerez votre rédaction par la phrase suivante : *« Si je pouvais me métamorphoser, je deviendrais un(e)... »*. Vous utiliserez principalement le conditionnel présent.

14. Représentez graphiquement le domaine de la sorcière (dessin, peinture, collages...).

575 « Ne m'aimes-tu pas mieux que toutes les autres ? voilà ce que semblaient dire les yeux de la pauvre petite lorsque, la prenant dans ses bras, il déposait un baiser sur son beau front. – Certainement, répondit le prince, car tu as meilleur cœur que toutes les autres ; tu m'es plus dévouée, et tu ressembles

580 à une jeune fille que j'ai vue un jour, mais que sans doute je ne reverrai jamais. Me trouvant sur un navire qui fit naufrage, je fus poussé à terre par les vagues, près d'un couvent habité par plusieurs jeunes filles. La plus jeune d'entre elles me trouva sur la côte, et me sauva la vie, mais je ne la vis que

585 deux fois. Jamais, dans le monde, je ne pourrai aimer une autre qu'elle ; eh bien ! tu lui ressembles, quelquefois même tu remplaces son image dans mon âme.

– Hélas ! pensa la petite sirène, il ignore que c'est moi qui l'ai porté à travers les flots jusqu'au couvent pour le sauver.

590 Il en aime une autre ? Cependant cette jeune fille est enfermée dans un couvent, elle ne sort jamais ; peut-être l'oubliera-t-il pour moi, pour moi qui l'aimerai et lui serai dévouée toute ma vie. »

« Le prince va épouser la charmante fille du roi voisin, dit-

595 on un jour ; il équipe un superbe navire sous prétexte de rendre seulement visite au roi, mais la vérité est qu'il va épouser sa fille. » Cela fit sourire la sirène, qui savait mieux que personne les pensées du prince, car il lui avait dit : « Puisque mes parents l'exigent, j'irai voir la belle princesse,

600 mais jamais ils ne me forceront à la ramener pour en faire ma femme. Je ne puis l'aimer ; elle ne ressemble pas, comme toi, à la jeune fille du couvent, et je préférerais t'épouser, toi, pauvre enfant trouvée, aux yeux si expressifs, malgré ton éternel silence. »

605 Le prince partit.
En parlant ainsi, il avait déposé un baiser sur sa longue chevelure.

« J'espère que tu ne crains pas la mer, mon enfant », lui dit-il sur le navire qui les emportait.

610   Puis il lui parla des tempêtes et de la mer en fureur, des étranges poissons et de tout ce que les plongeurs trouvent au fond des eaux. Ces discours la faisaient sourire, car elle connaissait le fond de la mer mieux que personne assurément.

615   Au clair de la lune, lorsque les autres dormaient, assise sur le bord du vaisseau, elle plongeait ses regards dans la transparence de l'eau, croyant apercevoir le château de son père, et sa vieille grand-mère les yeux fixés sur la carène[1]. Une nuit, ses sœurs lui apparurent ; elles la regardaient tristement et
620   se tordaient les mains. La petite les appela par des signes, et s'efforça de leur faire entendre que tout allait bien ; mais au même instant le mousse s'approcha, et elles disparurent en laissant croire au petit marin qu'il n'avait vu que l'écume de la mer.

625   Le lendemain, le navire entra dans le port de la ville où résidait le roi voisin. Toutes les cloches sonnèrent, la musique retentit du haut des tours, et les soldats se rangèrent sous leurs drapeaux flottants. Tous les jours ce n'étaient que fêtes, bals, soirées ; mais la princesse n'était pas encore arrivée du
630   couvent, où elle avait reçu une brillante éducation.

La petite sirène était bien curieuse de voir sa beauté ; elle eut enfin cette satisfaction. Elle dut reconnaître que jamais elle n'avait vu une si belle figure, une peau si blanche et de grands yeux noirs si séduisants.

---

notes

1. carène : partie immergée de la coque d'un navire, placée sous la ligne de flottaison.

635 « C'est toi ! s'écria le prince en l'apercevant, c'est toi qui m'as sauvé la vie sur la côte ! Et il serra dans ses bras sa fiancée rougissante. « C'est trop de bonheur ! continua-t-il en se tournant vers la petite sirène. Mes vœux les plus ardents[1] sont accomplis ! Tu partageras ma félicité[2], car tu
640 m'aimes mieux que tous les autres. »

L'enfant de la mer baisa la main du prince, bien qu'elle se sentît le cœur brisé.

Le jour de la noce de celui qu'elle aimait, elle devait mourir et se changer en écume.

645 La joie régnait partout ; des hérauts[3] annoncèrent les fiançailles dans toutes les rues au son des trompettes. Dans la grande église, une huile parfumée brûlait dans des lampes d'argent, les prêtres agitaient les encensoirs[4] ; les deux fiancés se donnèrent la main et reçurent la bénédiction de l'évêque.

650 Habillée de soie et d'or, la petite sirène assistait à la cérémonie ; mais elle ne pensait qu'à sa mort prochaine et à tout ce qu'elle avait perdu dans ce monde.

Le même soir, les deux jeunes époux s'embarquèrent au bruit des salves[5] d'artillerie. Tous les pavillons flottaient, et au
655 milieu du vaisseau se dressait une tente royale d'or et de pourpre[6], où l'on avait préparé un magnifique lit de repos. Les voiles s'enflèrent, et le vaisseau glissa légèrement sur la mer limpide.

notes

1. ardents : profonds.

2. félicité : bonheur calme et durable.

3. hérauts : officiers chargés de la transmission des messages, des proclamations solennelles, de l'organisation des cérémonies.

4. encensoirs : petits récipients suspendus à des chaînettes dans lesquels on brûle l'encens, substance résineuse qui brûle en répandant une odeur pénétrante.

5. salves : décharges simultanées d'armes à feu ou coups de canon successifs.

6. pourpre : étoffe teinte de pourpre, d'un rouge vif, symbole de la richesse ou d'une haute dignité sociale.

À l'approche de la nuit, on alluma des lampes de diverses couleurs, et les marins se mirent à danser joyeusement sur le pont. La petite sirène se rappela alors la soirée où, pour la première fois, elle avait vu le monde des hommes. Elle se mêla à la danse, légère comme une hirondelle, et elle se fit admirer comme un être surhumain. Mais il est impossible d'exprimer ce qui se passait dans son cœur ; au milieu de la danse elle pensait à celui pour qui elle avait quitté sa famille et sa patrie, sacrifié sa voix merveilleuse et subi des tourments inouïs[1]. Cette nuit était la dernière où elle respirait le même air que lui, où elle pouvait regarder la mer profonde et le ciel étoilé. Une nuit éternelle, une nuit sans rêve l'attendait, puisqu'elle n'avait pas une âme immortelle. Jusqu'à minuit la joie et la gaieté régnèrent autour d'elle ; elle-même riait et dansait, la mort dans le cœur.

Enfin le prince et la princesse se retirèrent dans leur tente ; tout devint silencieux, et le pilote resta seul debout près du gouvernail. La petite sirène, appuyée sur ses bras blancs au bord du navire, regardait vers l'orient, du côté de l'aurore ; elle savait que le premier rayon du soleil allait la tuer.

Soudain ses sœurs sortirent de la mer, aussi pâles qu'elle-même ; leur longue chevelure ne flottait plus au vent, on l'avait coupée.

« Nous l'avons donnée à la sorcière, dirent-elles, pour qu'elle te vienne en aide et te sauve de la mort. Elle nous a donné un couteau bien affilé[2] que voici. Avant le lever du soleil, il faut que tu l'enfonces dans le cœur du prince, et, lorsque son

notes

1. inouïs : qu'on n'a jamais entendus, incroyables, terribles.

2. affilé : aiguisé.

sang encore chaud tombera sur tes pieds, ils se joindront et se changeront en une queue de poisson. Tu redeviendras sirène ; tu pourras redescendre dans l'eau près de nous, et ce n'est qu'à l'âge de trois cents ans que tu disparaîtras en écume. Mais dépêche-toi ! car avant le lever du soleil, il faut que l'un de vous deux meure. Tue-le, et reviens ! Vois-tu cette raie rouge à l'horizon ? dans quelques minutes le soleil paraîtra, et tout sera fini pour toi ! »

Puis, poussant un profond soupir, elles s'enfoncèrent dans les vagues.

La petite sirène écarta le rideau de la tente, et elle vit la jeune femme endormie, la tête appuyée sur la poitrine du prince. Elle s'approcha d'eux, s'inclina, et déposa un baiser sur le front de celui qu'elle avait tant aimé. Ensuite elle tourna ses regards vers l'aurore, qui luisait de plus en plus, regarda alternativement le couteau tranchant et le prince qui prononçait en rêvant le nom de son épouse, leva l'arme d'une main tremblante, et... la lança loin dans les vagues. Là où tomba le couteau, des gouttes de sang semblèrent rejaillir de l'eau. La sirène jeta encore un regard sur le prince, et se précipita dans la mer, où elle sentit son corps se dissoudre en écume.

En ce moment, le soleil sortit des flots ; ses rayons doux et bienfaisants tombaient sur l'écume froide, et la petite sirène ne se sentait pas morte ; elle vit le soleil brillant, les nuages de pourpre, et au-dessus d'elle flottaient mille créatures transparentes et célestes. Leurs voix formaient une mélodie ravissante, mais si subtile[1], que nulle oreille humaine ne pouvait l'entendre, comme nul œil humain ne pouvait voir ces créatures. L'enfant de la mer s'aperçut qu'elle avait un corps

notes

1. subtile : légère, presqu'imperceptible.

715 semblable aux leurs, et qui se dégageait peu à peu de l'écume.
« Où suis-je ? demanda-t-elle avec une voix dont aucune
musique ne peut donner l'idée.

– Chez les filles de l'air, répondirent les autres. La sirène n'a
point d'âme immortelle, et elle ne peut en acquérir une que

720 par l'amour d'un homme ; sa vie éternelle dépend d'un
pouvoir étranger. Comme la sirène, les filles de l'air n'ont pas
une âme immortelle, mais elles peuvent en gagner une par
leurs bonnes actions. Nous volons dans les pays chauds, où
l'air pestilentiel[1] tue les hommes, pour y ramener la fraî-

725 cheur ; nous répandons dans l'atmosphère le parfum des
fleurs ; partout où nous passons, nous apportons des secours
et nous ramenons la santé. Lorsque nous avons fait le bien
pendant trois cents ans, nous recevons une âme immortelle,
afin de participer à l'éternelle félicité des hommes. Pauvre

730 petite sirène, tu as fait de tout ton cœur les mêmes efforts
que nous ; comme nous tu as souffert, et, sortie victorieuse
de tes épreuves, tu t'es élevée jusqu'au monde des esprits de
l'air, où il ne dépend que de toi de gagner une âme immortelle par tes bonnes actions. »

735 Et la petite sirène, élevant ses bras vers le ciel, versa des
larmes pour la première fois. Les accents de la gaieté se firent
entendre de nouveau sur le navire ; mais elle vit le prince et
sa belle épouse regarder fixement avec mélancolie l'écume
bouillonnante, comme s'ils savaient qu'elle s'était précipitée

740 dans les flots. Invisible, elle embrassa la femme du prince, jeta
un sourire à l'époux, puis monta avec les autres enfants de
l'air sur un nuage rose qui s'éleva dans le ciel.

Conte traduit du danois par D. Soldi, 1856.

notes

1. pestilentiel : qui répand
une odeur infecte.

Au fil du texte

AVEZ-VOUS BIEN LU ?

1. Le prince a-t-il, au début de l'extrait, l'intention d'épouser le fille du roi voisin ? Pourquoi ? Pourquoi change-t-il d'avis ?

2. Quel doit être le destin de la petite sirène si le prince épouse une autre femme ?

3. À quel moment la petite sirène a-t-elle des contacts avec les habitants de son monde ? Est-ce la première fois depuis sa transformation ?

4. Quel pacte les sœurs de la petite sirène ont-elle conclu avec la sorcière ?

5. Quelle surprise la petite sirène a-t-elle après s'être précipitée dans la mer ?

6. Expliquez tout ce qui différencie les filles de l'air des sirènes.

champ lexical : **ensemble des mots et expressions qui se rapportent à un même thème.**

ÉTUDIER UN GENRE

7. Comment la petite sirène échappe-t-elle au destin qui lui avait été annoncé ?

8. Comment parviendra-t-elle à gagner l'immortalité ?

ÉTUDIER L'ÉCRITURE ET LE VOCABULAIRE

9. Lors de l'évocation du mariage du prince, deux champs lexicaux* sont présents : celui de la joie et celui de la tristesse. Relevez les termes appartenant à chacun d'entre eux. Pourquoi ces deux champs lexicaux sont-ils ainsi mêlés ?

10. Les quatre éléments qui se trouvent dans la nature sont l'air, le feu, la terre et l'eau. Retrouvez, dans les deux dernières pages du conte, ce qui représente chacun de ces éléments.

ÉTUDIER LA GRAMMAIRE : RÉVISER LES COMPLÉMENTS D'OBJET ET LES COMPLÉMENTS CIRCONSTANCIELS

héros, héroïne : personnage qui se distingue par son courage et plus largement par des qualités exceptionnelles.

11. Relevez, lignes 615 à 624 (« *Au clair* [...] *écume de la mer.* »), tous les compléments circonstanciels et indiquez, pour chacun d'eux, la circonstance précise qu'il exprime ainsi que le verbe qu'il complète.

12. Dans le même passage, relevez tous les compléments d'objet, et indiquez, pour chacun d'eux, s'il est direct, indirect ou second ainsi que le verbe qu'il complète.

À VOS PLUMES !

13. Observez la carte du Danemark page 4 et expliquez en deux à trois phrases pourquoi le monde marin a pu inspirer Andersen.

14. Remémorez-vous toutes les qualités dont la petite sirène a fait preuve tout au long de ce conte et notez-les au fur et à mesure. Puis rédigez un petit paragraphe qui expliquera en quoi c'est une héroïne★.

15. Imaginez une autre fin possible à ce conte, à partir de la phrase « *La petite sirène écarta le rideau* », ligne 696. Vous rédigerez une vingtaine de lignes

au minimum. Vous utiliserez au moins quatre
compléments circonstanciels que vous soulignerez
en bleu et quatre compléments d'objet que vous
soulignerez en vert.

16. Vous avez probablement vu le film de
Walt Disney intitulé *La petite sirène* et dont
une photo figure en page 25 de ce livre. Faites
un tableau dans lequel apparaîtront d'un côté
les éléments communs au conte d'Andersen
et au film, et de l'autre les différences qui existent
entre les deux. Puis, en une dizaine de lignes
vous expliquerez pourquoi vous avez préféré
l'un ou l'autre.

LIRE L'IMAGE

17. Retouvez le passage du conte que le dessin
page 40 illustre, en indiquant les lignes.

18. « Sur ce dessin sont représentés… ». Poursuivez
cette phrase en faisant apparaître au moins quatre
termes techniques de marine à voile.

Le vilain petit canard

Que la campagne était belle ! on était au milieu de
l'été ; les blés agitaient des épis d'un jaune magnifique,
l'avoine était verte, et dans les prairies le foin s'élevait
en monceaux¹ odorants ; la cigogne se promenait sur
⁵ ses longues jambes rouges, en bavardant de l'égyptien,
langue qu'elle avait apprise de madame sa mère. Autour
des champs et des prairies s'étendaient de grandes forêts
coupées de lacs profonds.

Oui vraiment, la campagne était bien belle. Les rayons du
¹⁰ soleil éclairaient de tout leur éclat un vieux domaine
entouré de larges fossés, et de grandes feuilles de bardane²
descendaient du mur jusque dans l'eau ; elles étaient si
hautes que les petits enfants pouvaient se cacher dessous,

notes

1. monceaux : tas.
2. bardane : plante qui
pousse dans les décombres
et dont les fruits, terminés par
de petits crochets, s'agrippent
aux vêtements et au pelage
des animaux.

et qu'au milieu d'elles on pouvait trouver une solitude aussi
sauvage qu'au centre de la forêt. Dans une de ces retraites
une cane avait établi son nid et couvait ses œufs ; il lui tar-
dait bien de voir ses petits éclore. Elle ne recevait guère de
visites ; car les autres aimaient mieux nager dans les
fossés que de venir jusque sous les bardanes pour barboter
avec elle.

Enfin les œufs commencèrent à crever les uns après les
autres ; on entendait « pi-pip » : c'étaient les petits canards
qui vivaient et tendaient leur cou au-dehors.

« Rap-rap », dirent-ils ensuite en faisant tout le bruit qu'ils
pouvaient.

Ils regardaient de tous côtés sous les feuilles vertes, et la mère
les laissa faire ; car le vert réjouit les yeux.

« Que le monde est grand ! dirent les petits nouveau-nés à
l'endroit même où ils se trouvèrent au sortir de leur œuf.

— Vous croyez donc que le monde finit là ? dit la mère. Oh !
non, il s'étend bien plus loin, de l'autre côté du jardin, jusque
dans le champ du curé ; mais je n'y suis jamais allée.
Êtes-vous tous là ? continua-t-elle en se levant. Non, le plus
gros œuf n'a pas bougé : Dieu ! que cela dure longtemps !
J'en ai assez. »

Et elle se remit à couver, mais d'un air contrarié.

« Eh bien ! comment cela va-t-il ? dit une vieille cane qui
était venue lui rendre visite.

— Il n'y a plus que celui-là que j'ai toutes les peines du monde
à faire crever. Regardez un peu les autres : ne trouvez-vous
pas que ce sont les plus gentils petits canards qu'on ait jamais
vus ? ils ressemblent tous d'une manière étonnante à leur
père ; mais le coquin ne vient pas même me voir.

— Montrez-moi un peu cet œuf qui ne veut pas crever, dit la
vieille. Ah ! vous pouvez me croire, c'est un œuf de dinde.

Moi aussi, j'ai été trompée une fois comme vous, et j'ai eu toute la peine possible avec le petit ; car tous ces êtres-là ont affreusement peur de l'eau. Je ne pouvais parvenir à l'y faire entrer. J'avais beau le happer[1] et barboter devant lui : rien n'y
50 faisait. Que je le regarde encore : oui, c'est bien certainement un œuf de dinde. Laissez-le là, et apprenez plutôt aux autres enfants à nager.

– Non, puisque j'ai déjà perdu tant de temps, je puis bien rester à couver un jour ou deux de plus, répondit la cane.

55 – Comme vous voudrez », répliqua la vieille ; et elle s'en alla. Enfin le gros œuf creva. « Pi-pip », fit le petit, et il sortit. Comme il était grand et vilain ! La cane le regarda et dit : « Quel énorme caneton ! Il ne ressemble à aucun de nous. Serait-ce vraiment un dindon ? ce sera facile à voir : il faut
60 qu'il aille à l'eau, quand je devrais[2] l'y traîner. »

Le lendemain, il faisait un temps magnifique : le soleil rayonnait sur toutes les vertes bardanes ; la mère des canards se rendit avec toute sa famille au fossé. « Platsh ! » et elle sauta dans l'eau. « Rap-rap », dit-elle ensuite, et chacun des petits
65 plongea l'un après l'autre ; et l'eau se referma sur les têtes. Mais bientôt ils reparurent et nagèrent avec rapidité. Les jambes allaient toutes seules, et tous se réjouissaient dans l'eau, même le vilain grand caneton gris.

« Ce n'est pas un dindon, dit-elle. Comme il se sert habile-
70 ment de ses jambes, et comme il se tient droit ! C'est mon enfant aussi : il n'est pas si laid, lorsqu'on le regarde de près. Rap-rap ! Venez maintenant avec moi : je vais vous faire faire

---

notes

1. happer : attraper, prendre brusquement dans la bouche, la gueule, le bec, en parlant de certains animaux.

2. quand je devrais : même si je devais.

votre entrée dans le monde et vous présenter dans la cour des canards. Seulement, ne vous éloignez pas de moi, pour qu'on ne marche pas sur vous, et prenez bien garde au chat. »
Ils entrèrent tous dans la cour des canards.

Quel bruit on y faisait ! Deux familles s'y disputaient une tête d'anguille, et à la fin ce fut le chat qui l'emporta.

« Vous voyez comme les choses se passent dans le monde », dit la cane en aiguisant[1] son bec ; car elle aussi aurait bien voulu avoir la tête d'anguille. « Maintenant, remuez les jambes, continua-t-elle ; tenez-vous bien ensemble et saluez le vieux canard là-bas. C'est le plus distingué de tous ceux qui se trouvent ici. Il est de race espagnole, c'est pour cela qu'il est si gros, et remarquez bien ce ruban rouge autour de sa jambe : c'est quelque chose de magnifique, et la plus grande distinction qu'on puisse accorder à un canard. Cela signifie qu'on ne veut pas le perdre, et qu'il doit être remarqué par les animaux comme par les hommes. Allons, tenez-vous bien ; non, ne mettez pas les pieds en dedans : un caneton bien élevé écarte les pieds avec soin ; regardez comme je les mets en dehors. Inclinez-vous et dites « *Rap* ».
Ils obéirent, et les autres canards qui les entouraient les regardaient et disaient tout haut : « Voyez un peu ; en voilà encore d'autres, comme si nous n'étions déjà pas assez. Fi, fi donc ! Qu'est-ce que ce canet-là ? Nous n'en voulons pas. »
Et aussitôt un grand canard vola de son côté, se jeta sur lui et le mordit au cou.

« Laissez-le donc, dit la mère, il ne fait de mal à personne.

– D'accord ; mais il est si grand et si drôle, dit l'agresseur, qu'il a besoin d'être battu.

notes

1. aiguiser : rendre tranchant ou pointu, affiner.

– Vous avez là de beaux enfants, la mère, dit le vieux canard au ruban rouge. Ils sont tous gentils, excepté celui-là, il n'est pas bien venu : je voudrais que vous puissiez le refaire.

105 – C'est impossible, dit la mère cane. Il n'est pas beau, c'est vrai ; mais il a un si bon caractère ! et il nage dans la perfection ; oui, j'oserais même dire mieux que tous les autres. Je pense qu'il grandira joliment et qu'avec le temps il se formera. Il est resté trop longtemps dans l'œuf, et c'est pourquoi

110 il n'est pas très bien fait. »

Tandis qu'elle parlait ainsi, elle le tirait doucement par le cou, et lissait son plumage. « Du reste, c'est un canard, et la beauté ne lui importe pas tant. Je crois qu'il deviendra fort et qu'il fera son chemin dans le monde. Enfin, les autres sont

115 gentils ; maintenant, mes enfants, faites comme si vous étiez à la maison, et, si vous trouvez une tête d'anguille, apportez-la-moi. »

Et ils firent comme s'ils étaient à la maison.

Mais le pauvre canet qui était sorti du dernier œuf fut, pour

120 sa laideur, mordu, poussé et bafoué[1], non seulement par les canards, mais aussi par les poulets.

« Il est trop grand », disaient-ils tous ; et le coq d'Inde qui était venu au monde avec des éperons[2] et qui se croyait empereur, se gonfla comme un bâtiment toutes voiles

125 dehors, et marcha droit sur lui en grande fureur et rouge jusqu'aux yeux. Le pauvre canet ne savait s'il devait s'arrêter ou marcher : il eut bien du chagrin d'être si laid et d'être bafoué par tous les canards de la cour.

notes

1. bafoué : humilié.

2. éperons : pointes de corne situées derrière les pattes, ergots.

Au fil du texte

Avez-vous bien lu ?

1. En quelle saison le conte se situe-t-il ?
À quel endroit ?

2. Qu'est-ce qui différencie le « vilain petit canard »
des autres, avant et après sa naissance ?

3. Comment sa mère prend-elle sa défense et
le protège-t-elle, par ses paroles et par ses actes ?

4. Faites la liste de tout ce qu'il doit endurer
successivement en précisant à chaque fois s'il s'agit
d'une souffrance morale ou physique.

Étudier un genre

5. Quelles qualités et quels défauts les différents
animaux ont-ils ? Quels sont ceux qui sont,
en général, attribués à des êtres humains ?

6. Pourquoi le petit canard n'est-il pas admis par
les autres ? Comment s'appelle le fait de ne pas
admettre les différences qui existent entre les gens ?
Est-ce un comportement répandu chez les êtres
humains ? Donnez-en deux ou trois exemples.

7. Quels sentiments le petit canard vous inspire-t-il ?

Étudier la grammaire

8. À quel temps sont conjugués la plupart des
verbes du premier paragraphe ? Justifiez l'utilisation
de ce temps.

9. Un seul verbe est conjugué à un autre temps :
de quel temps s'agit-il ? Justifiez son utilisation.

10. Relisez le deuxième paragraphe du conte, relevez les adjectifs qualificatifs et indiquez la fonction complète de chacun d'entre eux. Pourquoi Andersen donne-t-il, grâce à ces adjectifs, autant de précisions sur les lieux ?

11. Réécrivez les deux propositions qui constituent lignes 119 à 121, la phrase « *Mais le pauvre canet* [...] *poulets* » et donnez leur nature. À quelle voix est la proposition principale ? Quelle est la fonction du groupe « *par les canards, mais aussi par les poulets* » ? Réécrivez cette phrase pour que ce groupe devienne sujet des verbes « *pousser* » et « *bafouer* ». Quels changements avez-vous faits ?

ÉTUDIER L'ÉCRITURE ET LE VOCABULAIRE

12. Relevez, dans les deux premiers paragraphes, les mots qui créent une atmosphère agréable.

13. Relevez les mots qui indiquent les sons qu'émettent les canetons. À quelle classe grammaticale appartiennent-ils ? Pourquoi sont-ils utilisés ici ?

14. On dit que la poule caquette. Recherchez au moins cinq verbes différents qui correspondent aux sons qu'émettent cinq animaux.

À VOS PLUMES !

15. La cane apprend à ses petits qui doit être respecté, comment il convient de se tenir et de se comporter, lignes 72 à 92. Imaginez qu'un autre animal de votre choix donne, lui aussi, des conseils à son ou ses petits. À la manière d'Andersen, faites parler la mère. Votre texte comportera une dizaine de lignes au minimum.

Voilà ce qui se passa dès le premier jour, et les choses
allèrent toujours de pis en pis. Le pauvre canet fut chassé de
partout : ses sœurs même étaient méchantes avec lui et répétaient continuellement : « Que ce serait bien fait si le chat
t'emportait, vilaine créature ! » Et la mère disait : « Je voudrais que tu fusses bien loin. » Les canards le mordaient, les
poulets le battaient, et la bonne qui donnait à manger aux
bêtes le repoussait du pied.

Alors il se sauva, et prit son vol par-dessus la haie. Les petits
oiseaux dans les buissons s'envolèrent de frayeur. « Et tout
cela, parce que je suis vilain », pensa le caneton. Il ferma les
yeux et continua son chemin. Il arriva ainsi au grand marécage qu'habitaient les canards sauvages. Il s'y coucha pendant
la nuit, bien triste et bien fatigué.

Le lendemain, lorsque les canards sauvages se levèrent, ils
aperçurent leur nouveau camarade. « Qu'est-ce que c'est
que cela ? » dirent-ils ; le canet se tourna de tous côtés et
salua avec toute la grâce possible.

« Tu peux te flatter d'être énormément laid ! dirent les
canards sauvages ; mais cela nous est égal, pourvu que tu
n'épouses personne de notre famille. »

Le malheureux ! est-ce qu'il pensait à se marier, lui qui ne
demandait que la permission de coucher dans les roseaux et
de boire de l'eau du marécage ?

Il passa ainsi deux journées. Alors arrivèrent dans cet endroit
deux jars[1] sauvages. Ils n'avaient pas encore beaucoup vécu ;
aussi étaient-ils très insolents.

130
135
140
145
150
155

notes

1. jars : mâle des oies
domestiques.

« Écoute, camarade, dirent ces nouveaux venus ; tu es si vilain que nous serions contents de t'avoir avec nous. Veux-tu nous accompagner et devenir un oiseau de passage ? Ici tout près, dans l'autre marécage, il y a des oies sauvages charmantes, presque toutes demoiselles, et qui savent bien chanter. Qui sait si tu n'y trouverais pas le bonheur, malgré ta laideur affreuse ? »

Tout à coup on entendit « pif, paf ! » et les deux jars sauvages tombèrent morts dans les roseaux, et l'eau devint rouge comme du sang.

« Pif, paf ! » et des troupes d'oies sauvages s'envolèrent des roseaux. Et on entendit encore des coups de fusil. C'était une grande chasse ; les chasseurs s'étaient couchés tout autour du marais ; quelques-uns s'étaient même postés sur les branches d'arbres qui s'avançaient au-dessus des joncs. Une vapeur bleue semblable à de petits nuages sortait des arbres sombres et s'étendait sur l'eau ; puis les chiens arrivèrent au marécage : « platsh, platsh » ; et les joncs et les roseaux se courbaient de tous côtés. Quelle épouvante pour le pauvre caneton ! Il plia la tête pour la cacher sous son aile ; mais en même temps il aperçut devant lui un grand chien terrible : sa langue pendait hors de sa gueule, et ses yeux farouches étincelaient de cruauté. Le chien tourna la gueule vers le caneton, lui montra ses dents pointues et, « platsh, platsh », il alla plus loin sans le toucher.

« Dieu, merci ! soupira le canard ; je suis si vilain que le chien lui-même dédaigne de me mordre ! »

Et il resta ainsi, pendant que le plomb sifflait à travers les joncs et que les coups de fusil se succédaient sans relâche.

Vers la fin de la journée seulement, le bruit cessa ; mais le pauvre petit n'osa pas encore se lever. Il attendit quelques heures, regarda autour de lui, et se sauva du marais aussi vite qu'il put. Il passa au-dessus des champs et des prairies ; une tempête furieuse l'empêcha d'avancer.

190 Sur le soir, il arriva à une misérable cabane de paysan, si vieille et si ruinée qu'elle ne savait pas de quel côté tomber : aussi restait-elle debout. La tempête soufflait si fort autour du caneton qu'il fut obligé de s'arrêter et de s'accrocher à la cabane : tout allait de mal en pis.

195 Alors il remarqua qu'une porte avait quitté ses gonds[1] et lui permettait, par une petite ouverture, de pénétrer dans l'intérieur : c'est ce qu'il fit.

Là demeurait une vieille femme avec son matou et avec sa poule ; et le matou, qu'elle appelait son petit-fils, savait
200 arrondir le dos et filer[2] son rouet[3] : il savait même lancer des étincelles, pourvu qu'on lui frottât convenablement le dos à rebrousse-poil. La poule avait des jambes fort courtes, ce qui lui avait valu le nom de Courte-Jambe. Elle pondait des œufs excellents, et la bonne femme l'aimait comme une fille.

205 Le lendemain, on s'aperçut de la présence du caneton étranger. Le matou commença à gronder, et la poule à glousser.

« Qu'y a-t-il ? » dit la femme en regardant autour d'elle. Mais, comme elle avait la vue basse, elle crut que c'était une grosse cane qui s'était égarée. « Voilà une bonne prise,
210 dit-elle : j'aurai maintenant des œufs de cane. Pourvu que ce ne soit pas un canard ! Enfin, nous verrons. »

Et elle attendit pendant trois semaines ; mais les œufs ne vinrent pas. Dans cette maison, le matou était le maître et

notes

1. gonds : pièces de fer coudées en équerre sur lesquelles tournent les pentures d'une porte ou d'une fenêtre.

2. filer : transformer en fil une matière textile.

3. rouet : machine à filer portant une roue, mue par une pédale ou une manivelle.

la poule la maîtresse ; aussi ils avaient l'habitude de dire :
215 « Nous et le monde » ; car ils croyaient faire à eux seuls la moitié et même la meilleure moitié du monde. Le caneton se permit de penser que l'on pouvait avoir un autre avis ; mais cela fâcha la poule.

« Sais-tu pondre les œufs ? demanda-t-elle.
220 — Non.

— Eh bien ! alors, tu auras la bonté de te taire. »

Et le matou le questionna à son tour : « Sais-tu faire le gros dos ? sais-tu filer ton rouet et faire jaillir des étincelles ?

— Non.
225 — Alors tu n'as pas le droit d'exprimer une opinion, quand les gens raisonnables causent ensemble. »

Et le caneton se coucha tristement dans un coin ; mais tout à coup un air vif et la lumière du soleil pénétrèrent dans la chambre, et cela lui donna une si grande envie de nager dans
230 l'eau qu'il ne put s'empêcher d'en parler à la poule.

« Qu'est-ce donc ? dit-elle. Tu n'as rien à faire, et voilà qu'il te prend des fantaisies. Ponds des œufs ou fais ron-ron, et ces caprices te passeront.

— C'est pourtant bien joli de nager sur l'eau, dit le petit
235 canard ; quel bonheur de la sentir se refermer sur sa tête et de plonger jusqu'au fond !

— Ce doit être un grand plaisir, en effet ! répondit la poule. Je crois que tu es devenu fou. Demande un peu à Minet, qui est l'être le plus raisonnable que je connaisse, s'il aime à
240 nager ou à plonger dans l'eau. Demande même à notre vieille maîtresse : personne dans le monde n'est plus expérimenté ; crois-tu qu'elle ait envie de nager et de sentir l'eau se refermer sur sa tête ?

— Vous ne me comprenez pas.

45 – Nous ne te comprenons pas ? mais qui te comprendrait
donc ? Te croirais-tu plus instruit que Minet et notre
maîtresse ?

– Je ne veux pas parler de moi.

– Ne t'en fais pas accroire[1], enfant, mais remercie plutôt le
50 créateur de tout le bien dont il t'a comblé. Tu es arrivé dans
une chambre bien chaude, tu as trouvé une société dont tu
pourrais profiter, et tu te mets à raisonner jusqu'à te rendre
insupportable. Ce n'est vraiment pas un plaisir de vivre avec
toi. Crois-moi, je te veux du bien : je te dis sans doute des
55 choses désagréables ; mais c'est à cela que l'on reconnaît ses
véritables amis. Suis mes conseils, et tâche de pondre des
œufs ou de faire ron-ron.

– Je crois qu'il me sera plus avantageux de faire mon tour
dans le monde, répondit le canard.

60 – Comme tu voudras », dit le poulet.

Et le canard s'en alla nager et se plongea dans l'eau ; mais
tous les animaux le méprisèrent à cause de sa laideur.

L'automne arriva, les feuilles de la forêt devinrent jaunes et
brunes : le vent les saisit et les fit voltiger. En haut dans les
65 airs il faisait bien froid ; des nuages lourds pendaient, chargés
de grêle et de neige. Sur la haie le corbeau croassait, tant
il était gelé : rien que d'y penser, on grelottait. Le pauvre
caneton n'était, en vérité, pas à son aise.

Un soir que le soleil se couchait glorieux, toute une foule
70 de grands oiseaux superbes sortit des buissons ; le canet n'en
avait jamais vu de semblables : ils étaient d'une blancheur

éblouissante, ils avaient le cou long et souple. C'étaient des cygnes. Le son de leur voix était tout particulier ; ils étendirent leurs longues ailes éclatantes pour aller loin de cette
275 contrée chercher dans les pays chauds des lacs toujours ouverts. Ils montaient si haut, si haut, que le vilain petit canard en était étrangement affecté[1] ; il tourna dans l'eau comme une roue, il dressa le cou et le tendit en l'air vers les cygnes voyageurs, et poussa un cri si perçant et si singulier[2]
280 qu'il se fit peur à lui-même. Il lui était impossible d'oublier ces oiseaux magnifiques et heureux ; aussitôt qu'il cessa de les apercevoir, il plongea jusqu'au fond, et, lorsqu'il remonta à la surface, il était comme hors de lui. Il ne savait comment s'appelaient ces oiseaux, ni où ils allaient ; mais cependant il
285 les aimait comme il n'avait encore aimé personne. Il n'en était pas jaloux ; car comment aurait-il pu avoir l'idée de souhaiter pour lui-même une grâce si parfaite ? Il aurait été trop heureux, si les canards avaient consenti à le supporter, le pauvre être si vilain !
290 Et l'hiver devint bien froid, bien froid ; le caneton nageait toujours à la surface de l'eau pour l'empêcher de se prendre tout à fait ; mais chaque nuit le trou dans lequel il nageait se rétrécissait davantage. Il gelait si fort qu'on entendait la glace craquer ; le canet était obligé d'agiter continuellement les
295 jambes pour que le trou ne se fermât pas autour de lui. Mais enfin il se sentit épuisé de fatigue ; il ne remuait plus et il fut saisi par la glace.

Le lendemain matin, un paysan vint sur le bord et vit ce qui se passait ; il s'avança, rompit la glace et emporta le canard
300 chez lui pour le donner à sa femme. Là il revint à la vie.

---

notes

1. affecté : ému, triste.   **2. singulier :** étrange, spécial, particulier.

Les enfants voulurent jouer avec lui ; mais le caneton, persuadé qu'ils allaient lui faire du mal, se jeta de peur au milieu du pot au lait, si bien que le lait rejaillit dans la chambre. La femme frappa ses mains l'une contre l'autre de colère, et lui, tout effrayé, se réfugia dans la baratte[1], et de là dans la huche[2] à farine, puis de là prit son envol au-dehors.

Dieu ! quel spectacle ! la femme criait, courait après lui, et voulait le battre avec les pincettes ; les enfants s'élancèrent sur le tas de fumier pour attraper le caneton. Ils riaient et poussaient des cris : ce fut un grand bonheur pour lui d'avoir trouvé la porte ouverte et de pouvoir ensuite se glisser entre des branches, dans la neige ; il s'y blottit tout épuisé.

Il serait trop triste de raconter toute la misère et toutes les souffrances qu'il eut à supporter pendant cet hiver rigoureux[3].

Il était couché dans le marécage entre les joncs, lorsqu'un jour le soleil commença à reprendre son éclat et sa chaleur. Les alouettes chantaient. Il faisait un printemps délicieux.

Alors tout à coup le caneton put se confier à ses ailes, qui battaient l'air avec plus de vigueur[4] qu'autrefois, assez fortes pour le transporter au loin. Et bientôt il se trouva dans un grand jardin où les pommiers étaient en pleine floraison, où le sureau[5] répandait son parfum et penchait ses longues branches vertes jusqu'aux fossés. Comme tout était beau dans cet endroit ! Comme tout respirait le printemps !

Et des profondeurs du bois sortirent trois cygnes blancs et magnifiques.

---

notes

1. baratte : appareil dans lequel on bat la crème pour obtenir du beurre.

2. huche : grand coffre de bois rectangulaire à couvercle plat.

3. rigoureux : dur à supporter, pénible.

4. vigueur : force, énergie.

5. sureau : arbuste à fleurs blanches odorantes et à fruits rouges ou noirs.

Ils battaient des ailes et nagèrent sur l'eau. Le canet connaissait ces beaux oiseaux : il fut saisi d'une tristesse indicible.

330 « Je veux aller les trouver, ces oiseaux royaux : ils me tueront, pour avoir osé, moi si vilain, m'approcher d'eux ; mais cela m'est égal ; mieux vaut être tué par eux que d'être mordu par les canards, battu par les poules, poussé du pied par la fille de basse-cour, et que de souffrir les misères de l'hiver. »

335 Il s'élança dans l'eau et nagea à la rencontre des cygnes. Ceux-ci l'aperçurent et se précipitèrent vers lui les plumes soulevées. « Tuez-moi », dit le pauvre animal ; et, penchant la tête vers la surface de l'eau, il attendait la mort.

Mais que vit-il dans l'eau transparente ? Il vit sa propre
340 image au-dessous de lui : ce n'était plus un oiseau mal fait, d'un gris noir, vilain et dégoûtant ; il était lui-même un cygne !

Il n'y a pas de mal à être né dans une basse-cour lorsqu'on sort d'un œuf de cygne.

345 Maintenant il se sentait heureux de toutes ses souffrances et de tous ses chagrins ; maintenant pour la première fois il goûtait tout son bonheur en voyant la magnificence[1] qui l'entourait, et les grands cygnes nageaient autour de lui et le caressaient de leur bec.

350 Des petits enfants vinrent au jardin et jetèrent du pain et du grain dans l'eau, et le plus petit d'entre eux s'écria : « En voilà un nouveau ! » et les autres enfants poussèrent des cris de joie : « Oui, oui ! c'est vrai ; il y en a encore un nouveau. »

Et ils dansaient sur les bords, puis battaient des mains ; et ils
355 coururent à leur père et à leur mère, et revinrent encore jeter

---

notes

1. magnificence : splendeur.

du pain et du gâteau, et ils dirent tous : « Le nouveau est le plus beau ! Qu'il est jeune ! qu'il est superbe ! »
Et les vieux cygnes s'inclinèrent devant lui.
Alors il se sentit honteux, et cacha sa tête sous son aile ; il ne savait comment se tenir, car c'était pour lui trop de bonheur. Mais il n'était pas fier. Un bon cœur ne le devient jamais. Il songeait à la manière dont il avait été persécuté et insulté partout, et voilà qu'il les entendait tous dire qu'il était le plus beau de tous ces beaux oiseaux ! Et le sureau même inclinait ses branches vers lui, et le soleil répandait une lumière si chaude et si bienfaisante ! Alors ses plumes se gonflèrent, son cou élancé se dressa, et il s'écria de tout son cœur : « Comment aurais-je pu rêver tant de bonheur, pendant que je n'étais qu'un vilain petit canard ? »

Traduit du danois par D. Soldi, 1856.

Au fil du texte

AVEZ-VOUS BIEN LU ?

1. Quelle décision le petit canard prend-il ?

2. Quelles saisons sont nommées par l'auteur et à quelles lignes ? Quel est le champ lexical★ dominant dans l'évocation de chacune de ces saisons ?

3. Sur combien de temps ce conte se déroule-t-il donc ?

4. Vous avez maintenant lu l'intégralité du conte et vous pouvez établir clairement le schéma narratif★ du récit, c'est-à-dire la façon dont il est construit. La liste A correspond aux noms des différentes étapes de ce schéma narratif et la liste B contient le résumé de chacune de ces étapes. À vous de faire correspondre à chaque étape son résumé.

Liste A

Situation initiale – Élément perturbateur (ou modificateur) – Péripéties – Résolution – Situation finale.

Liste B

– L'un des œufs met plus de temps à éclore que les autres. Il en sort un caneton très différent des autres, plus gros et moins beau.
– Le caneton se rend compte, en se regardant dans l'eau, qu'il est lui-même un cygne et découvre le bonheur. Tous lui témoignent du respect et de l'admiration.
– Pendant un bel été, une cane s'apprête à mettre bas des canetons.

champ lexical : ensemble des mots et expressions qui se rapportent à un même thème.

schéma narratif : succession de situations et d'événements qui constituent les différentes étapes d'un récit (situation initiale, élément perturbateur ou modificateur, péripéties, résolution, situation finale).

– Le caneton fait le bilan de sa vie et, heureux, n'en devient pas pour autant orgueilleux.

– Le caneton, rejeté par tous, décide de s'enfuir. Pendant l'année qui suit, il souffre, moralement, des moqueries des animaux comme des humains, et, physiquement, des rigueurs de l'hiver. Las de la vie, il décide de faire face aux magnifiques cygnes qu'il aperçoit, persuadé qu'ils vont le tuer.

5. Remettez dans l'ordre les péripéties du conte.
a) Alors qu'il va mourir de froid, pris dans la glace, un paysan le sauve et l'emporte dans sa maison, mais, effrayé, il s'enfuie à nouveau et passe un hiver très difficile.

b) Il décide de s'enfuir.

c) Il trouve refuge dans une cabane, habitée par une vieille femme, une poule et un chat, mais, incompris, il préfère s'en aller.

d) Il est à nouveau rejeté par tous (canards sauvages, jars) et doit affronter la peur d'être tué lors d'une chasse.

e) Il est à nouveau confronté aux rigueurs de l'hiver.

f) Au printemps, il croise de magnifiques cygnes et s'approche d'eux, persuadé qu'ils vont le tuer et le libérer ainsi de ses souffrances.

g) Le caneton, protégé par sa mère au début, est peu à peu rejeté de tous, même de sa famille : il souffre moralement et physiquement.

ÉTUDIER L'ÉCRITURE ET LE VOCABULAIRE

6. Nommez avec précision les sentiments successifs qu'éprouve le caneton dans cet extrait, en illustrant chacun d'eux par une citation du texte.

7. L'adjectif « *indicible* » est formé à partir de la racine *dicere* qui signifie en latin « dire ». Décomposez cet adjectif en préfixe, radical et suffixe et déduisez-en son sens. Trouvez trois adjectifs formés sur le même modèle.

8. Quels sont les deux noms utilisés dans ce conte pour désigner le petit de la cane ? Comment appelle-t-on la femelle du sanglier et son petit ? Même question pour le coq, le taureau, le cochon, le bouc, le jars. Ajoutez à cette liste quatre animaux mâles de votre choix avec leur femelle et leur petit.

ÉTUDIER LA GRAMMAIRE

9. Dans la phrase : « *Et des profondeurs des bois sortirent trois cygnes blancs et magnifiques.* », dites quel groupe de mots est complément circonstanciel de lieu du verbe ? Quel groupe de mots est sujet du verbe ? Quelle remarque pouvez-vous faire sur l'ordre des mots dans la phrase ? Justifiez cet ordre.

10. Dans la phrase « *Il songeait à la manière dont il avait été persécuté et insulté partout.* », quel verbe est conjugué à la voix passive ? Quel est le sujet de ce verbe ? Y a-t-il un complément d'agent ? Pourquoi ? Mettez le verbe à la voix active et faites les changements nécessaires.

11. « *Il fut saisi d'une tristesse indicible.* », ligne 329 : transformez la phrase en la faisant débuter par « *Une tristesse indicible...* ». Quels changements avez-vous effectués ? À quels voix, mode et temps était conjugué le verbe « *saisir* » dans la phrase initiale ? Et dans la phrase transformée ?

ÉTUDIER UN GENRE

12. Quelle morale pouvez-vous tirer de ce conte ?

13. Certains contes d'Andersen contiennent
des éléments autobiographiques★. C'est le cas
de celui-ci. Lisez la vie d'Andersen p. 110 et rédigez
un petit paragraphe dans lequel vous expliquerez
en quoi Andersen a connu un sort semblable
à celui du « vilain petit canard ».

À VOS PLUMES !

14. Imaginez, en une quinzaine de lignes,
une péripétie supplémentaire : la rencontre entre
le petit canard et un animal de votre choix qui
pourra soit le maltraiter, soit tenter de le protéger.
Votre récit sera rédigé dans le système du passé★.

15. Imaginez que le petit canard, devenu cygne,
retourne voir les membres de sa famille. Dans
un premier temps, il leur raconte quelques-uns
de ses malheurs, puis il leur parle de sa vie depuis
qu'il est devenu cygne. Racontez la scène. Les
différents personnages pourront prendre la parole
pour exprimer leurs sentiments (pitié, étonnement,
admiration…).

LIRE L'IMAGE

16. Nommez tous les « personnages » représentés
sur le dessin, page 61. Repérez les différents
« plans » figurant sur l'illustration.

17. Comment le bonheur du « canard-cygne » est-il
mis en évidence ?

*autobio-
graphiques :*
qui racontent
la vie de
l'auteur.

*système
du passé :*
système
de temps où
l'on utilise
principalement
l'imparfait,
le passé simple,
le plus-que-
parfait,
le passé
antérieur.

*verbes
de parole :*
verbes
indiquant
qu'un
personnage
prend la parole
(dire,
murmurer,
s'exclamer…).

La petite fille et les allumettes

Comme il faisait froid ! La neige tombait et la nuit n'était pas loin ; c'était le dernier soir de l'année, la veille du jour de l'an. Au milieu de ce froid et de cette obscurité, une pauvre petite fille passa dans la rue, la tête et les pieds nus.
5 Elle avait, il est vrai, des pantoufles en quittant la maison, mais elles ne lui avaient pas servi longtemps : c'étaient de grandes pantoufles que sa mère avait déjà usées, si grandes que la petite les perdit en se pressant de traverser la rue entre deux voitures. L'une fut réellement perdue ;
10 quant à l'autre, un gamin l'emporta avec l'intention d'en faire un berceau pour son petit enfant, quand le ciel lui en donnerait un.
La petite fille cheminait avec ses petits pieds nus qui étaient rouges et bleus de froid ; elle avait dans son vieux
15 tablier une grande quantité d'allumettes, et elle en portait à la main un paquet. C'était pour elle une journée mauvaise ; pas d'acheteurs, donc pas le moindre sou. Elle avait bien faim et bien froid, bien misérable mine. Pauvre

petite ! Les flocons de neige tombaient dans ses longs cheveux blonds, si gentiment bouclés autour de son cou ; mais
songeait-elle seulement à ses cheveux bouclés ? Les lumières
brillaient aux fenêtres, le fumet[1] des rôtis s'exhalait[2] dans la
rue, c'était la veille du jour de l'an : voilà à quoi elle songeait.
Elle s'assit et s'affaissa[3] sur elle-même dans un coin, entre
deux maisons. Le froid la saisissait de plus en plus, mais elle
n'osait pas retourner chez elle : elle rapportait ses allumettes
et pas la plus petite pièce de monnaie. Son père la battait ;
et du reste, chez elle, est-ce qu'il n'y faisait pas froid aussi ?
Ils logeaient sous le toit, et le vent soufflait au travers,
quoique les plus grandes fentes eussent été bouchées avec de
la paille et des chiffons. Ses petites mains étaient presque
mortes de froid. Hélas ! qu'une petite allumette leur ferait du
bien ! Si elle osait en tirer une seule du paquet, la frotter sur
le mur et réchauffer ses doigts ! Elle en tira une : ritch !
comme elle éclata ! comme elle brûla ! C'était une flamme
chaude et claire comme une petite chandelle, quand elle la
couvrit de sa main. Quelle lumière bizarre ! Il semblait à la
petite fille qu'elle était assise devant un grand poêle de fer
orné de boules et surmonté d'un couvercle en cuivre lui-
sant. Le feu y brûlait si magnifique, il chauffait si bien ! Mais,
qu'y a-t-il donc ? La petite étendait déjà ses pieds pour les
chauffer aussi ; la flamme s'éteignit, le poêle disparut : elle
était assise, un petit bout de l'allumette brûlée à la main.

notes

1. fumet : odeur agréable
émanant de certaines viandes
pendant ou après la cuisson.

2. s'exhalait : se répandait.

3. s'affaissa : s'effondra
doucement.

45 Elle en frotta une seconde qui brûla, qui brilla, et, là où la lueur tomba sur le mur, il devint transparent comme une gaze. La petite pouvait voir jusque dans une chambre où la table était couverte d'une nappe blanche, éblouissante de fines porcelaines, et sur laquelle une oie rôtie, farcie de 50 pruneaux et de pommes, fumait avec un parfum délicieux. Ô surprise, ô bonheur ! Tout à coup l'oie sauta de son plat et roula sur le plancher, la fourchette et le couteau dans le dos, jusqu'à la pauvre fille. L'allumette s'éteignit : elle n'avait devant elle que le mur épais et froid.

55 En voilà une troisième allumée. Aussitôt elle se vit assise sous un magnifique arbre de Noël ; il était plus riche et plus grand encore que celui qu'elle avait vu, à la Noël dernière, à travers la porte vitrée, chez le riche marchand. Mille chandelles brûlaient sur les branches vertes, et des images 60 de toutes couleurs, comme celles qui ornent les fenêtres des magasins, semblaient lui sourire. La petite éleva les deux mains : l'allumette s'éteignit ; toutes les chandelles de Noël montaient, montaient, et elle s'aperçut alors que ce n'étaient que les étoiles. Une d'elles tomba et traça une longue raie de 65 feu dans le ciel.

« C'est quelqu'un qui meurt », se dit la petite ; car sa vieille grand-mère, qui seule avait été bonne pour elle, mais qui n'était plus, lui répétait souvent : « Lorsqu'une étoile tombe, c'est qu'une âme monte à Dieu. »

70 Elle frotta encore une allumette sur le mur : il se fit une grande lumière au milieu de laquelle était la grand-mère debout, avec un air si doux, si radieux !

« Grand-mère, s'écria la petite, emmène-moi. Lorsque l'allu-mette s'éteindra, je sais que tu n'y seras plus. Tu disparaîtras 75 comme le poêle de fer, comme l'oie rôtie, comme le bel arbre de Noël. »

Elle frotta promptement[1] le reste du paquet, car elle tenait à garder sa grand-mère, et les allumettes répandirent un éclat plus vif que celui du jour. Jamais la grand-mère n'avait été
80 si grande ni si belle. Elle prit la petite fille sur son bras, et toutes les deux s'envolèrent joyeuses au milieu de ce rayonnement, si haut, si haut, qu'il n'y avait plus ni froid, ni faim, ni angoisse, elles étaient chez Dieu.

Mais dans le coin, entre les deux maisons, était assise, quand
85 vint la froide matinée, la petite fille, les joues toutes rouges, le sourire sur la bouche... morte, morte de froid, le dernier soir de l'année. Le jour de l'an se leva sur le petit cadavre assis là avec les allumettes, dont un paquet avait été presque tout brûlé. « Elle a voulu se chauffer ? » dit quelqu'un. Tout le
90 monde ignora les belles choses qu'elle avait vues, et au milieu de quelle splendeur elle était entrée avec sa vieille grand-mère dans la nouvelle année.

Traduit du danois par D. Soldi, 1856.

notes
1. promptement :
rapidement.

Au fil du texte

AVEZ-VOUS BIEN LU ?

1. À quelle époque de l'année ce conte se situe-t-il ?
En quoi est-ce important ?

2. Quels sentiments la petite fille fait-elle naître
chez le lecteur dès le premier paragraphe ?

3. Pourquoi la petite fille est-elle contrainte
de sortir tard le soir toute seule ? Pourquoi
ne veut-elle pas rentrer chez elle ?

4. À quelle tentation la petite fille
succombe-t-elle ?

5. La flamme lui permet d'avoir quatre visions
successives : lesquelles ? À quelle souffrance,
quel manque, correspond chacune d'entre elles ?

6. Qu'arrive-t-il à la petite fille à la fin du conte ?
Les passants sont-ils choqués par ce qu'ils
découvrent au matin ?

ÉTUDIER L'ÉCRITURE, LE VOCABULAIRE ET LE GENRE

7. Relevez quatre phrases exclamatives de ce conte
et indiquez quels sentiments elles expriment.

8. Relevez toutes les expressions par lesquelles
Andersen désigne la petite fille, tout au long
du conte.

9. Dans la première partie du conte, relevez les termes appartenant au champ lexical★ de la souffrance et dans la suite ceux appartenant au champ lexical du bien-être. Qu'est-ce qui rend la petite fille heureuse ?

10. Ce conte contient-il des éléments merveilleux★ ?

ÉTUDIER LA GRAMMAIRE

champ lexical : ensemble des mots et expressions qui se rapportent à un même thème.

merveilleux : qui relève de l'inexplicable, du surnaturel.

11. Dans la phrase « *Mais dans le coin* [...] *année* », lignes 84 à 87, relevez tous les compléments circonstanciels en précisant la circonstance qu'ils indiquent et le verbe qu'ils complètent. Pourquoi toutes ces précisions sont-elles données ?

12. Dans la même phrase, quelle remarque pouvez-vous faire sur la place des sujets des verbes ? Quel est l'effet produit ?

À VOS PLUMES ! À VOS PINCEAUX ! FAITES DES RECHERCHES

13. Faites des recherches pour pouvoir expliquer oralement ce qu'est, scientifiquement, une étoile filante. D'après la grand-mère, qu'indique une étoile filante ? Connaissez-vous d'autres superstitions liées à ce phénomène ?

14. Vous avez peut-être été témoin de la misère de quelqu'un dans la rue ou ailleurs. Racontez la scène en montrant la réaction des gens et les sentiments que vous avez éprouvés. Votre récit comportera une vingtaine de lignes.

15. Était-il fréquent, au XIXe siècle, que des enfants travaillent pour gagner de l'argent ? Connaissez-vous d'autres œuvres (poèmes, romans, films) qui mettent en scène des enfants travaillant ?

16. Pensez-vous qu'à l'heure actuelle, il existe encore dans le monde des enfants qui travaillent ? Est-ce autorisé par la loi ? Qu'est-ce qui, en France et dans la plupart des pays industrialisés, garantit aux enfants de ne pas travailler avant l'âge de seize ans ? Recherchez ce qu'est la « Déclaration des droits des enfants ». Rassemblez vos recherches dans un dossier que vous illustrerez par des articles de journaux et des photos.

17. Andersen a écrit qu'il s'est inspiré de l'enfance de sa propre mère mais aussi d'une gravure pour écrire ce conte. À votre tour, faites un dessin qui puisse illustrer ce conte.

LIRE L'IMAGE

18. Quel passage précis du texte, le dessin, page 69, illustre-t-il ?

19. Relevez tous les éléments du dessin qui font naître la pitié, la compassion.

Les habits neufs du grand-duc

Il y avait autrefois un grand-duc[1] qui aimait tant les habits neufs, qu'il dépensait tout son argent à sa toilette[2]. Lorsqu'il passait ses soldats en revue, lorsqu'il allait au spectacle ou à la promenade, il n'avait d'autre but que de
5 montrer ses habits neufs. À chaque heure de la journée, il changeait de vêtements, et comme on dit d'un roi : « Il est au conseil », on disait de lui : « Le grand-duc est à sa garde-robe[3]. » La capitale était une ville bien gaie, grâce à la quantité d'étrangers qui passaient ; mais un jour il y
10 vint aussi deux fripons[4] qui se donnèrent pour des tisserands et déclarèrent savoir tisser la plus magnifique étoffe du monde. Non seulement les couleurs et le dessin étaient extraordinairement beaux, mais les vêtements confectionnés avec cette étoffe possédaient une qualité

notes

1. grand-duc : titre de princes souverains.

2. toilette : habillement.

3. garde-robe : ensemble des vêtements d'une personne.

4. fripons : personnes malhonnêtes, voleurs adroits.

15 merveilleuse : ils devenaient invisibles pour toute personne qui ne savait pas bien exercer son emploi ou qui avait l'esprit trop borné.

« Ce sont des habits impayables ! pensa le grand-duc ; grâce à eux, je pourrai connaître les hommes incapables de mon
20 gouvernement ; je saurai distinguer les habiles des niais. Oui, cette étoffe m'est indispensable. »

Puis il avança aux deux fripons une forte somme, afin qu'ils pussent commencer immédiatement leur travail.

Ils dressèrent en effet deux métiers, et firent semblant de
25 travailler, quoiqu'il n'y eût absolument rien sur les bobines. Sans cesse ils demandaient de la soie fine et de l'or magnifique ; mais ils mettaient tout cela dans leur sac, travaillant jusqu'au milieu de la nuit avec des métiers vides.

« Il faut cependant que je sache où ils en sont », se dit le
30 grand-duc.

Mais il se sentait le coeur serré en pensant que les personnes niaises ou incapables de remplir leurs fonctions ne pourraient voir l'étoffe. Ce n'était pas qu'il doutât de lui-même ; toutefois il jugea à propos d'envoyer quelqu'un pour
35 examiner le travail avant lui. Tous les habitants de la ville connaissaient la qualité merveilleuse de l'étoffe, et tous brûlaient d'impatience de savoir combien leur voisin était borné[1] ou incapable.

« Je vais envoyer aux tisserands mon bon vieux ministre,
40 pensa le grand-duc, c'est lui qui peut le mieux juger l'étoffe ; il se distingue autant par son esprit que par ses capacités. »

L'honnête vieux ministre entra dans la salle où les deux imposteurs travaillaient avec les métiers vides.

notes

1. borné : à l'esprit étroit, limité.

« Bon Dieu ! pensa-t-il, en ouvrant de grands yeux, je ne
45 vois rien. » Mais il n'en dit mot.

Les deux fripons l'invitèrent à s'approcher, et lui demandèrent comment il trouvait le dessin et les couleurs. En même
temps, ils montrèrent leurs métiers[1], et le vieux ministre y
fixa ses regards ; mais il ne vit rien, par la raison bien simple
50 qu'il n'y avait rien.

« Bon Dieu ! pensa-t-il, serais-je vraiment borné ? Il faut que
personne ne s'en doute. Serais-je vraiment incapable ? Je
n'ose avouer que l'étoffe est invisible pour moi. »

– Eh bien ! qu'en dites-vous ? dit l'un des tisserands.
55 – C'est charmant, c'est tout à fait charmant ! répondit le
ministre en mettant ses lunettes. Ce dessin et ces couleurs.
... oui, je dirai au grand-duc que j'en suis très content.

– C'est heureux pour nous, dirent les deux tisserands ; »
ils se mirent à lui montrer des couleurs et des dessins imagi-
60 naires en leur donnant des noms. Le vieux ministre prêta la
plus grande attention, pour répéter au grand-duc toutes
leurs explications.

Les fripons demandaient toujours de l'argent, de la soie et de
l'or ; il en fallait énormément pour ce tissu. Bien entendu
65 qu'ils empochèrent le tout ; le métier restait vide et ils
travaillaient toujours.

Quelque temps après, le grand-duc envoya un autre fonctionnaire honnête pour examiner l'étoffe et voir si elle
s'achevait. Il arriva à ce nouveau député la même chose
70 qu'au ministre ; il regardait et regardait toujours, mais il ne
voyait rien.

notes
_____

1. métiers : machines servant
à travailler les textiles.

« N'est-ce pas que le tissu est admirable ? demandèrent les deux imposteurs[1] en montrant et expliquant le superbe dessin et les belles couleurs qui n'existaient pas.

75 – Cependant je ne suis pas niais ! pensait l'homme. C'est donc que je ne suis pas capable de remplir ma place ? C'est assez drôle, mais je prendrai bien garde de la perdre. »

Puis il fit l'éloge[2] de l'étoffe, et témoigna toute son admiration pour le choix des couleurs et le dessin.

80 « C'est d'une magnificence[3] incomparable », dit-il au grand-duc. Et toute la ville parla de cette étoffe extraordinaire.

Enfin, le grand-duc lui-même voulut la voir pendant qu'elle était encore sur le métier. Accompagné d'une foule d'hommes choisis, parmi lesquels se trouvaient les deux 85 honnêtes fonctionnaires[4], il se rendit auprès des adroits filous[5] qui tissaient toujours, mais sans fil de soie ni d'or, ni aucune espèce de fil.

« N'est-ce pas que c'est magnifique ? dirent les deux honnêtes fonctionnaires. Le dessin et les couleurs sont dignes de 90 Votre Altesse. »

Et ils montrèrent du doigt le métier vide, comme si les autres avaient pu y voir quelque chose.

« Qu'est-ce donc ? pensa le grand-duc, je ne vois rien. C'est terrible. Est-ce que je ne serais qu'un niais ? Est-ce que 95 je serais incapable de gouverner ? Jamais rien ne pouvait m'arriver de plus malheureux. » Puis tout à coup il s'écria : « C'est magnifique ! J'en témoigne ici toute ma satisfaction. »

notes

1. imposteurs : ceux qui abusent de la confiance, de la crédulité d'autrui par des discours mensongers, dans le but d'en tirer profit.

2. fit l'éloge : dit du bien, loua les qualités.

3. magnificence : splendeur.

4. fonctionnaire : personne qui remplit une fonction publique.

5. filous : ceux qui volent avec ruse, adresse, qui trichent au jeu.

Il hocha la tête d'un air content, et regarda le métier sans oser dire la vérité. Tous les gens de sa suite regardèrent de même, les uns après les autres, mais sans rien voir, et ils répétaient comme le grand-duc : « C'est magnifique ! » Ils lui conseillèrent même de revêtir cette nouvelle étoffe à la première grande procession[1]. « C'est magnifique ! c'est charmant ! c'est admirable ! » exclamaient toutes les bouches, et la satisfaction était générale.

Les deux imposteurs furent décorés, et reçurent le titre de gentilshommes[2] tisserands.

Toute la nuit qui précéda le jour de la procession, ils veillèrent et travaillèrent à la clarté de seize bougies. La peine qu'ils se donnaient était visible à tout le monde. Enfin, ils firent semblant d'ôter l'étoffe du métier, coupèrent dans l'air avec de grands ciseaux, cousirent avec une aiguille sans fil, après quoi ils déclarèrent que le vêtement était achevé.

Le grand-duc, suivi de ses aides de camp, alla l'examiner, et les filous, levant un bras en l'air comme s'ils tenaient quelque chose, dirent :

« Voici le pantalon, voici l'habit, voici le manteau. C'est léger comme de la toile d'araignée. Il n'y a pas de danger que cela vous pèse sur le corps, et voilà surtout en quoi consiste la vertu de cette étoffe.

– Certainement, répondirent les aides de camp ; mais ils ne voyaient rien, puisqu'il n'y avait rien.

– Si Votre Altesse daigne se déshabiller, dirent les fripons, nous lui essayerons les habits devant la grande glace. »

notes

1. procession : longue suite de personnes qui marchent à la file ou en colonne, formant ainsi un cortège, souvent religieux.

2. gentilshommes : hommes nobles de naissance.

25 Le grand-duc se déshabilla, et les fripons firent semblant de lui présenter une pièce après l'autre. Ils lui prirent le corps comme pour lui attacher quelque chose ; c'était la queue. Il se tourna et se retourna devant la glace.

« Grand Dieu ! que cela va bien ! quelle coupe[1] élégante !
30 s'écrièrent tous les courtisans. Quel dessin ! quelles couleurs ! quel précieux costume ! »
Le grand maître des cérémonies entra.

« Le dais[2] sous lequel Votre Altesse doit assister à la procession est à la porte, dit-il.
35 – Bien ! je suis prêt, répondit le grand-duc. Je crois que je ne suis pas mal ainsi. »
Et il se tourna encore une fois devant la glace pour bien regarder l'effet de sa splendeur.
Les chambellans qui devaient porter la queue firent semblant
40 de ramasser quelque chose par terre ; puis ils élevèrent les mains, ne voulant pas convenir qu'ils ne voyaient rien du tout.
Tandis que le grand-duc cheminait fièrement à la procession sous son dais magnifique, tous les hommes, dans la rue et aux
45 fenêtres, s'écriaient : « Quel superbe costume ! Comme la queue[3] en est gracieuse ! Comme la coupe en est parfaite ! »
Nul ne voulait laisser voir qu'il ne voyait rien ; il aurait été déclaré niais ou incapable de remplir un emploi. Jamais les habits du grand-duc n'avaient excité une telle admiration.
50 « Mais il me semble qu'il n'a pas du tout d'habit, observa un petit enfant.

notes

1. coupe : manière dont l'étoffe est taillée.

2. dais : ouvrage de bois ou de tissu, fixé ou soutenu de manière à ce qu'il s'étende comme un plafond au-dessus d'un autel ou de la place d'un personnage important.

3. queue : traîne.

– Seigneur Dieu, entendez la voix de l'innocence ! » dit le père.

Et bientôt on chuchota dans la foule en répétant les paroles de l'enfant.

« Il y a un petit enfant qui dit que le grand-duc n'a pas d'habit du tout !

– Il n'a pas du tout d'habit ! » s'écria enfin tout le peuple.

Le grand-duc en fut extrêmement mortifié[1], car il lui semblait qu'ils avaient raison. Cependant il se raisonna et prit sa résolution :

« Quoi qu'il en soit, il faut que je reste jusqu'à la fin ! »

Puis, il se redressa plus fièrement encore, et les chambellans continuèrent à porter avec respect la queue qui n'existait pas.

Traduit du danois par D. Soldi, 1856.

notes

1. mortifié : cruellement blessé dans son amour propre.

Au fil du texte

AVEZ-VOUS BIEN LU ?

1. D'après les premières lignes du conte, quelle est la passion du grand-duc ?

2. Quelle est la particularité des vêtements que confectionnent les deux tisserands, nouveaux venus dans la ville ?

3. Quel intérêt ces deux hommes trouvent-ils à tisser les vêtements du grand-duc ?

4. Pourquoi le grand-duc ne va-t-il pas lui-même voir l'avancement de son habit ?

5. Pourquoi chacune des personnes qui va voir les habits rentre-t-elle dans le jeu des tisserands ?

6. Qui révèle la vérité à la fin du conte ?

ÉTUDIER LE VOCABULAIRE, LA GRAMMAIRE ET L'ÉCRITURE

7. Relevez, entre les lignes 9 et 128, les mots et expressions qui montrent que les tisserands sont malhonnêtes.

8. À quel temps est écrit le premier paragraphe jusqu'à « *passaient* » (ligne 9) ? À quel temps sont conjugués les verbes de la phrase qui suit (lignes 10 à 12) ? Pourquoi ce changement ? Quelle expression annonçait ce changement ?

9. À partir de votre réponse à la question précédente, établissez le début du schéma narratif★ du conte, c'est-à-dire la situation initiale et l'élément modificateur.

10. En relisant la suite du conte et en étant attentif à la disposition en paragraphes, établissez la suite du schéma narratif : les différentes péripéties, la résolution et la situation finale.

ÉTUDIER UN GENRE

11. Par quelle expression le conte commence-t-il ? Connaissez-vous d'autres expressions que l'on rencontre souvent au début des contes ?

12. Trouvez-vous dans ce conte des éléments merveilleux★ (objets magiques, dons donnés à la naissance, personnages extraordinaires...) ?

13. À quel type de conte appartient donc celui-ci, « eventyr★ » ou « historie★ » ?

14. Quelle leçon pouvez-vous tirer de ce conte ?

À VOS PLUMES !

15. Imaginez le retour du grand-duc chez lui. Les tisserands ont disparu... Les fait-il rechercher ? Comment réagit-il face à ceux qui n'ont pas osé lui dire la vérité ? Le grand-duc pourra se montrer très en colère ou bien prendra les choses en riant de lui-même. Vous écrirez vingt à vingt-cinq lignes en utilisant le système du passé★.

schéma narratif : succession de situations et d'événements qui constituent les différentes étapes d'un récit (situation initiale, élément perturbateur ou modificateur, péripéties, résolution, situation finale).

merveilleux : qui relève de l'inexplicable, du surnaturel.

eventyr : en danois, récit se présentant comme un conte de fées.

historie : en danois, récit se présentant comme une fable.

système du passé : système de temps où l'on utilise principalement l'imparfait, le passé simple, le plus-que-parfait, le passé antérieur.

Ce que fait le vieux est bien fait

Je vais vous raconter une histoire que j'ai entendue lorsque j'étais petit. Chaque fois que je me la rappelai par la suite, elle me parut plus jolie, et, en effet, les contes sont comme les hommes : il en est qui embellissent avec l'âge.
5 Vous connaissez la campagne ? Vous y avez vu une de ces vieilles maisons de paysan, avec son toit de chaume[1] où poussent les herbes et la mousse ; sur le faîte[2], bien sûr, un nid de cigogne. Les murs sont de guingois[3], les fenêtres basses ; une seule même peut encore s'ouvrir. Le
10 four à pain sort de la muraille comme un petit ventre. Un sureau[4] dépasse la haie, et sous ses branches, des canards se baignent dans la mare. Un chien à l'attache aboie après tout le monde.

notes

1. chaume : paille qui couvre le toit des maisons.

2. faîte : partie la plus élevée d'un édifice.

3. de guingois : de travers.

4. sureau : arbuste à fleurs blanches et à fruits rouges ou noirs.

Dans une de ces demeures rustiques[1] habitait un couple de
15 vieux, un paysan et une paysanne. Ils ne possédaient presque
rien et pourtant ils n'avaient guère besoin du cheval qui
paissait l'herbe des fossés au bord de la route. Quand le
paysan allait en ville, il montait la bête ; souvent les voisins la
lui empruntaient, et en retour ils rendaient au brave homme
20 quelques services. On aurait peut-être mieux fait de le
vendre ou de l'échanger contre un objet plus utile. Mais
quoi, par exemple ?

« Tu trouveras bien, dit la bonne femme. C'est jour de foire
à la ville. Vas-y avec le cheval, tu en tireras de l'argent ou tu
25 feras un échange. Tout ce que tu feras sera bien. En route ! »
Elle lui attacha autour du cou un beau foulard, qu'elle savait
arranger mieux que lui, et elle y fit un double nœud très
coquet. Elle lissa son chapeau avec la paume de la main, et
lui donna un gros baiser. Puis il monta sur le cheval pour
30 aller le vendre ou l'échanger. Oui, le vieux s'y entendait, il
savait bien quoi faire !

Le soleil était brûlant ; il n'y avait pas un nuage au ciel. Le
vent soulevait la poussière sur la route où se pressaient les
gens qui allaient à la ville, en voiture, à cheval ou à pied. Ils
35 avaient tous bien chaud, et il n'y avait pas d'ombre.

Un homme conduisait une vache, aussi belle qu'une vache
peut l'être. « Quel bon lait elle doit donner ! se dit le
paysan. Voilà qui serait un fameux échange. »

« Hé là-bas ! l'homme à la vache ! sais-tu ce que je peux te
40 proposer ? Un cheval, je le sais, coûte plus cher qu'une
vache ; mais veux-tu troquer[2] ta vache contre mon cheval ?
– Je crois bien ! » répondit l'homme, et ils échangèrent leurs
bêtes.

---

notes

1. rustiques : de la campagne,   **2. troquer :** échanger.
des champs, traditionnelles.

Gravure de Hans Tegner.
*Elle lui attacha autour du cou
un beau foulard, …*

Voilà qui était fait, et le vieux paysan aurait pu s'en retour-
45 ner chez lui, puisqu'il avait terminé l'affaire pour laquelle il
s'était mis en chemin. Mais comme il s'était fait une fête de
voir la foire, il résolut d'y aller quand même, et il repartit
avec sa vache. Comme ils marchaient d'un bon pas, il ne
tarda pas à rejoindre un homme qui conduisait un mouton,
50 un mouton comme on en voit peu, avec une épaisse toison
de laine.

« Voilà une belle bête que je voudrais bien avoir ! se dit le
vieux paysan. Un mouton trouverait tout ce qu'il lui faut
d'herbe le long de notre haie ; l'hiver, nous le garderions
55 dans la chambre. Un mouton nous conviendrait mieux
qu'une vache. »

« Veux-tu troquer avec moi ? »

L'autre ne se le fit pas dire deux fois. Il s'empressa d'emme-
ner la vache, et le vieux paysan continua son chemin avec le
60 mouton. Il aperçut un homme débouchant d'un sentier, qui
portait sous le bras une oie grasse.

« Tu as là une belle bête, dit le vieux, quelle graisse ! et quel
plumage ! Si nous l'avions chez nous, je gage[1] que ma bonne
vieille lui donnerait tous les restes. Elle m'a dit bien souvent :
65 « Ah ! si nous avions une oie, cela ferait joliment bien parmi
nos canards ! » Voici qu'il y a peut-être moyen d'en avoir
une. Veux-tu changer avec moi ? prendre mon mouton et
me donner ton oie ? Je te dirai merci par-dessus le marché. »

L'autre le voulait bien, et le vieux paysan prit l'oie. Il était
70 alors tout près de la ville. La foule augmentait ; hommes et
animaux se pressaient sur la route ; il y en avait jusque dans
les fossés.

---

notes

1. je gage : je parie.

Le percepteur de l'octroi[1] avait une poule ; voyant tant de monde, il l'attacha par une ficelle pour éviter qu'elle ne
75 prenne peur et s'échappe. C'était une belle poule, avec une queue courte ; elle clignait de l'œil, en faisant : « Glouk, glouk. » Que voulait-elle dire ? je n'en sais rien ; mais le paysan, dès qu'il l'aperçut, pensa : « C'est bien la plus belle poule que j'aie jamais vue ; elle est plus belle même que la
80 couveuse du curé. Je voudrais bien l'avoir. Une poule se nourrit elle-même des graines qu'elle ramasse. Je crois que si je pouvais changer cette oie pour elle, je ferais une bonne affaire. »

« Si nous troquions ? dit-il au percepteur.
85 – Troquer ! répondit celui-ci ; mais cela me va tout à fait ! »
Le percepteur prit l'oie, le vieux paysan emporta la poule. Il avait fait tant de besogne[2] pendant le chemin qu'il était échauffé et fatigué. Il lui fallait une goutte et une croûte. Il voulut entrer à l'auberge. Le garçon en sortait justement,
90 portant un sac plein.

« Qu'est-ce que tu portes là ? lui demanda le paysan.
– Un sac de pommes blettes[3] que je vais donner aux cochons.
– Tout un sac ! c'est ma femme qui serait contente ! L'an
95 dernier, notre vieux pommier près de l'écurie n'a donné qu'une seule pomme : on l'a mise sur le haut de l'armoire et elle y est restée jusqu'à ce qu'elle soit pourrie. « Cela prouve toujours qu'on est à son aise », disait ma femme. Que

---

notes

1. percepteur de l'octroi : personne qui est chargée de percevoir des taxes sur les marchandises vendues ou échangées au marché du village.

2. besogne : travail imposé par la profession ou toute autre cause.

3. blettes : trop mûres, dont la chair s'est ramollie.

100 dirait-elle si elle en avait un plein sac ? Je voudrais bien lui montrer ça.

– Eh bien ! que donneriez-vous pour ce sac ? dit le garçon.

– Ce que je donnerais ! mais cette poule donc ! »

Ils troquèrent à l'instant et le paysan entra dans la salle de l'auberge avec son sac qu'il déposa contre le poêle. Puis il alla
105 au comptoir. Le poêle était allumé, le bonhomme n'y prit pas garde.

Il y avait là beaucoup de monde, des maquignons[1], des bouviers[2] et aussi deux Anglais. Ces gens-là sont si riches que leurs poches sont bourrées de pièces d'or. Et ils aiment
110 parier ! vous allez voir ça.

« Ssss... » Qu'est-ce qu'on entend près du poêle ? Les pommes qui commencent à cuire.

« Qu'y a-t-il ? demanda un des Anglais.

– Ah ! mes pommes ! » dit le paysan, et il raconta l'histoire
115 du cheval qu'il avait échangé contre une vache, et ainsi de suite jusqu'aux pommes.

– Eh bien, tu vas être bien reçu ! dirent les Anglais. Ta femme va te donner du bâton !

– Du bâton ? dit le paysan. Elle m'embrassera tout de bon et
120 elle dira : « Ce que fait le vieux est bien fait. »

– Parions-nous que non ? dirent les Anglais. Tout l'or que tu veux, cent livres[3] !

– Un boisseau[4] est assez, répondit le paysan. Je ne puis promettre que mon boisseau de pommes, et moi et ma vieille
125 par-dessus le marché. Je pense que c'est bonne mesure.

---

notes

1. maquignons : marchands de bétail.

2. bouviers : personnes qui gardent et conduisent les bœufs.

3. livres : unité de poids équivalant à environ 500 grammes ; unités monétaires anglaises.

4. boisseau : mesure de capacité qui équivaut à environ 12,5 litres ; récipient de forme cylindrique ou son contenu.

– Allons, tope, accepté ! » Et le pari fut fait.

On fit avancer la voiture de l'aubergiste. Les Anglais y montèrent et le paysan y monta avec les pommes blettes. Et bientôt ils s'arrêtèrent devant sa maison.

« Bonsoir, la mère.

– Bonsoir le père.

– L'échange est fait.

– Ah ! tu t'entends aux affaires, dit la bonne femme, et elle l'embrassa sans faire attention au sac, non plus qu'aux étrangers.

– J'ai troqué le cheval contre une vache, reprit le paysan.

– Dieu soit loué ! Le bon lait que nous allons avoir, et le beurre et le fromage ! C'est un fameux échange.

– Oui, mais j'ai ensuite changé la vache contre une brebis.

– Cela vaut mieux, en effet. Nous avons assez d'herbe pour nourrir une brebis, et elle nous donnera du lait et du fromage, et des bas de laine et des chemises. Nous n'aurions pas eu cela avec une vache. Comme tu réfléchis à tout !

– Ce n'est pas fini, ma bonne ; ce mouton, je l'ai échangé contre une oie.

– Nous aurons donc cette année à Noël une belle oie rôtie ! Tu songes toujours, mon cher vieux, à ce qui peut me faire plaisir. À la bonne heure ! D'ici à Noël, nous aurons le temps de la bien engraisser.

– J'ai changé l'oie contre une poule.

– Une poule a son prix, dit la femme. Une poule pond des oeufs, elle les couve, il en sort des poussins qui grandissent... J'ai toujours rêvé d'avoir une basse-cour.

– Oui, mais j'ai échangé la poule contre un sac de pommes blettes !

– Quoi ! C'est maintenant que je vais t'embrasser, cher homme ! Écoute ce qui m'est arrivé. À peine étais-tu parti

ce matin que je me suis mise à penser quel bon dîner je
pourrais te faire : des œufs au lard avec de la ciboulette[1]. Les
160 œufs, je les avais, le lard aussi, mais point de ciboulette. Je vais
alors chez le maître d'école, qui en a, et je demande à sa
femme ; tu sais comme elle est avare, avec ses airs ! Je la prie
de m'en prêter. « Prêter ! dit-elle ; mais nous n'avons rien
dans notre jardin, pas même une pomme blette. » ça, je ne
165 pouvais pas lui en prêter. Demain j'irai, moi, lui prêter des
pommes blettes. Tout un sac, si elle veut. La bonne riposte ! »
Et elle embrassa le vieux de tout son coeur.

« Voilà qui est admirable, dirent les Anglais. Tout va de moins
en moins bien, et elle garde sa bonne humeur ! Ma foi, cela
170 vaut la forte somme ! »

Ils donnèrent un boisseau d'or au paysan qui avait eu un
baiser au lieu de bâton.

Ainsi tout s'arrange quand la femme a confiance dans la
sagesse de son mari et trouve bien tout ce qu'il fait.

175 Voilà l'histoire que j'ai entendu raconter quand j'étais
enfant. Maintenant, vous le savez aussi : « Ce que fait le vieux
est bien fait. »

Traduit du danois par D. Soldi, E. Grégoire et L. Moland.

notes

1. ciboulette : plante dont
les feuilles creuses et minces
sont employées en cuisine
comme condiment.

Au fil du texte

Avez-vous bien lu ?

1. Pourquoi le couple de paysans décide-t-il de se séparer de son cheval ?

2. Quels échanges successifs le vieux fait-il ? Pour chacun de ces échanges, recopiez la phrase par laquelle le vieux justifie ce troc.

3. Dites avec précision ce que les Anglais d'un côté et le vieux de l'autre mettent en jeu dans le pari qu'ils font ?

4. Quelle est la réaction de la paysanne à chaque fois que son mari lui fait part de ses échanges successifs ?

5. Quels sentiments éprouve-t-elle à l'égard de son mari ? Relevez deux phrases qui montrent ces sentiments.

Étudier la grammaire

6. À quel temps les deux premiers paragraphes sont-ils ? Et le troisième ? Pourquoi ce changement ?

7. Relevez, lignes 95 à 97, les verbes conjugués à un temps composé. Expliquez l'accord des participes passés, en écrivant la règle qui est appliquée pour chacun d'entre eux.

Étudier le discours et l'écriture

8. À qui le narrateur s'adresse-t-il dans les deux premiers paragraphes ?

9. Ce conte est composé de passages descriptifs, de passages narratifs et de passages de dialogue. Après les avoir repérés en indiquant les lignes de début et de fin, expliquez ce que chacune de ces formes de discours★ apporte au conte.

formes de discours : il existe quatre formes de discours : narratif, descriptif, informatif (ou explicatif), argumentatif, qui peuvent se combiner.

merveilleux : qui relève de l'inexplicable, du surnaturel.

eventyr : en danois, récit se présentant comme un conte de fées.

historie : en danois, récit se présentant comme une fable.

verbes de parole : verbes indiquant qu'un personnage prend la parole (dire, murmurer, s'exclamer…).

ÉTUDIER UN GENRE

10. Ce conte contient-il des événements merveilleux★ ? Fait-il partie des « eventyr★ » ou des « historie★ » ?

11. Pourquoi peut-on dire quand même qu'il s'agit d'un conte ? Quelle morale peut-on en tirer ?

12. Connaissez-vous une fable de La Fontaine dont le personnage principal est une jeune femme qui rêve à ce qu'elle pourrait obtenir en vendant son lait au marché ? Retrouvez cette fable. Quelles différences constatez-vous entre la fable et le conte ?

À VOS PLUMES !

13. Imaginez un échange supplémentaire que le vieux aurait pu faire, soit entre les différents trocs, soit après le dernier. À la façon d'Andersen, racontez cet échange en montrant ce qui est échangé et contre quoi, ainsi que l'intérêt que trouvent les personnages à faire cet échange. Vous écrirez une quinzaine de lignes et introduirez un dialogue en variant les verbes de parole★.

LIRE L'IMAGE

14. Quels éléments du dessin, page 85, permettent de situer l'action et les personnages (classe sociale, lieu, moment de l'histoire…) ?

Le porcher

Il y avait une fois un prince. Il n'était pas riche. Son royaume n'était pas grand. Mais il avait de quoi nourrir une femme et des enfants. Or il voulait justement se marier.

Il était connu dans toutes les cours pour sa bonne mine, sa grâce et sa gentillesse. Bien des princesses lui auraient volontiers accordé leur main. Sachant qu'il avait le don de plaire, il eut la témérité[1] de vouloir épouser la fille d'un puissant empereur, son voisin.

Comment s'y prit-il pour réussir ?

Sur la tombe de son père poussait un rosier, le plus magnifique des rosiers. Il ne fleurissait que tous les cinq ans, et ne portait alors qu'une seule rose. Mais quelle rose ! Elle exhalait[2] un parfum si doux, si délicieux, que,

notes

1. témérité : audace.
2. exhalait : répandait (une odeur).

15 pendant huit jours après l'avoir respiré, on oubliait tous ses chagrins et toutes ses peines.

Le prince possédait, en outre[1], un rossignol qui chantait les plus ravissantes mélodies qu'on pût imaginer. Ces deux merveilles, la plante et l'oiseau, le prince les envoya en cadeau à 20 la princesse pour gagner ses bonnes grâces.

Lorsque les caisses, en argent massif, où ces présents étaient emballés, arrivèrent à la cour impériale, l'empereur les fit porter dans la grande salle où justement la princesse jouait *à la visite*[2] avec ses demoiselles d'honneur.

25 « Si les caisses sont si précieuses, dit-elle en battant joyeusement des mains, quel beau cadeau ne doivent-elles pas contenir ? S'il y avait un gentil petit chat, bien gai, bien espiègle ! »

On déballa, et d'abord apparut le rosier avec la superbe rose :
30 « Oh ! qu'elle est bien imitée ! » s'écrièrent les demoiselles d'honneur. « Jusqu'au velouté[3] des feuilles qui est rendu à merveille ! » dit l'empereur. La princesse prit en main la fleur et la regarda de près : « Fi donc[4] ! dit-elle en pleurant de dépit[5] ; elle n'est pas artificielle ; c'est une rose naturelle 35 comme toutes les roses.

– Fi ! fi donc ! comment, une rose naturelle, pas davantage ! s'écrièrent en chœur les demoiselles d'honneur indignées.

– Voyons cependant, dit l'empereur, ce qu'il y a dans la seconde caisse avant de juger mal du prince. »

---

notes

1. en outre : de plus.

2. à la visite : les caractères italiques indiquent ici les mots écrits en français dans le texte original, en danois, d'Andersen.

3. velouté : douceur de ce qui ressemble au velours au toucher ou à l'aspect.

4. Fi donc : interjection exprimant la déception et le mécontentement.

5. dépit : déception, contrariété.

40 On retira le rossignol qui, rendu à la lumière, fit entendre ses chants les plus doux, les plus mélodieux. Bien qu'ils eussent le goût entièrement corrompu[1] par l'amour du faux et du factice[2], les courtisans demeurèrent quelque temps saisis par ces trilles[3] exquises, par ces roulades[4] délicieuses.

45 « *Superbe ! charmant !* » disaient les demoiselles d'honneur. On n'était pas en France, mais elles employaient ces mots français pour mieux marquer leur admiration.

« Cet oiseau, dit un vieux courtisan, me rappelle la tabatière à musique de feu[5] l'impératrice ; c'est la même qualité de

50 son, la même cadence.

— C'est tout à fait cela, fit l'empereur qui, à ce souvenir, se mit à sangloter comme un petit enfant.

— L'oiseau est-il vraiment un automate ? demanda la princesse.

55 — Mais non, Altesse, dit le page qui tenait la cage : c'est bel et bien un rossignol en vie.

— Mettez-le en liberté ! s'écria la princesse, et qu'il s'envole où il voudra. Quant au prince, qu'il ne paraisse jamais devant mes yeux ! »

60 Le prince n'était pas timide. Malgré cette injonction[6], il se présenta à la cour, à la vérité sous un déguisement. Il se hâla[7] le teint avec du brun et du noir, vêtit des habits de paysan, enfonça une casquette sur ses yeux. Ainsi accoutré[8], il vint se présenter devant Sa Majesté. « Bonjour, empereur, lui dit-il

---

notes

1. corrompu : déformé, rendu mauvais.

2. factice : qui est faux, imité, pas naturel.

3. trilles : battements rapides et ininterrompus sur deux notes voisines.

4. roulades : successions de notes chantées rapidement et légèrement sur une seule syllabe.

5. feu : qui est morte.

6. injonction : ordre.

7. se hâla : se colora.

8. accoutré : habillé de façon étrange.

65 d'un air niais. N'auriez-vous pas quelque emploi à me donner dans votre château ? – Il y a bien des places vacantes[1], répondit l'empereur, mais elles sont sollicitées[2] par tant de monde que je ne sais s'il en restera quelqu'une pour toi. Cependant, j'y pense, il est un office[3] que personne n'a
70 demandé, c'est celui qui oblige à garder mes troupeaux de porcs. En veux-tu ? »

Le prince accepta la proposition ; il reçut un beau diplôme en lettres d'or lui conférant la dignité de porcher[4] impérial. En revanche, son logis n'était ni vaste ni beau ; il consistait
75 en une chambre située au-dessus de l'étable.

Tout en gardant ses porcs, il se mit à confectionner un amour de petite marmite dont le couvercle était garni de petites clochettes. Quand elle bouillait sur le feu, les clochettes résonnaient de la plus gentille façon et faisaient
80 entendre un air connu. Cela n'était rien encore. Voici où était le merveilleux. Quand on tenait son doigt à la vapeur qui sortait de la marmite, on sentait aussitôt l'odeur des mets[5] qui se cuisinaient chez n'importe quelle personne de la ville à laquelle on pensait. Certes, c'était bien plus intéres-
85 sant que le parfum de la rose.

Le lendemain, la princesse avec toute sa suite passa près de la basse-cour. Elle entendit la mélodie que jouaient les clochettes et s'arrêta toute joyeuse. « Tiens ! s'écria-t-elle, c'est l'air que j'ai appris à jouer au piano pour la fête de papa ! »
90 La chronique scandaleuse[6] ajoutait qu'elle n'en savait pas d'autre, et encore ne le jouait-elle qu'avec un seul doigt.

---

notes

1. **vacantes :** libres.
2. **sollicitées :** réclamées, demandées.

3. **office :** place.
4. **porcher :** gardien de porcs.
5. **mets :** plats.

6. **la chronique scandaleuse :** l'ensemble des nouvelles relatant des faits jugés contraires aux règles morales de la bonne société.

« Que j'aime donc cet air ! continua-t-elle. Ce porcher vraiment n'est pas le premier venu. Allez lui demander combien il veut vendre son instrument. »

95 Une des demoiselles d'honneur entra, après mille simagrées[1], dans la basse-cour. « Quel prix veux-tu de ce pot ? dit-elle. – Il me faut dix baisers de la princesse, répondit le porcher. – Tu es fou ! s'écria-t-elle. – C'est mon dernier mot. – Eh bien, qu'a-t-il demandé ? dit la princesse lorsqu'elle vit

100 revenir sa suivante. – Je n'ose pas le répéter. – Dis-le-moi à l'oreille. – Le manant[2] ! le malotru[3] ! » s'écria-t-elle lorsqu'elle entendit la réponse du porcher, et, tout en colère, elle se mit à marcher de long en large. Mais voilà que les clochettes recommencèrent à tinter si mélodieusement

105 qu'au bout d'un instant, ne pouvant résister au désir qui la tourmentait, elle dit : « Allez lui demander s'il ne veut pas accepter dix baisers de l'une de vous, mesdemoiselles.

– Ce que j'ai dit, je l'ai dit, répondit le porcher. La princesse, ou je garde ma marmite.

110 – Quel entêté ! dit la princesse. Enfin, faites-le venir. Vous vous placerez en rond autour de moi pour que personne ne me voie l'embrasser. »

Le porcher arriva. Les suivantes se rangèrent en cercle, élargissant le plus possible leurs jupes pour faire une haie

115 complète. La princesse, faisant une vilaine moue[4], donna précipitamment les dix baisers et reçut la marmite.

notes

1. simagrées : manières, comédies destinées à tromper.

2. manant : paysan (mot péjoratif).

3. malotru : personne sans éducation, aux manières grossières.

4. moue : grimace que l'on fait en avançant, en resserrant les lèvres ; air de mécontentement.

Quelle joie ce fut alors ! Tout le reste de la journée, et jusque bien avant[1] dans la nuit, on fit bouillir le pot et on le consulta pour savoir ce que chacun mangeait à son dîner, depuis le chambellan[2] jusqu'au savetier. Les demoiselles d'honneur sautaient, dansaient, battaient des mains. Elles coururent chercher la grande maîtresse des cérémonies : « Croyez-vous, madame ? dirent-elles toutes ensemble. Nous savons qu'il y aura ce soir, chez le chancelier, de la soupe à la citrouille et du blanc-manger[3], et, chez notre maître de danse, un beau rôti de veau et du pudding[4]. Que c'est amusant et curieux ! – Allons, ne babillez pas trop, dit la princesse, et surtout n'allez pas dire ce que m'a coûté cette marmite, car il faut que je tienne mon rang de fille d'empereur. – Ne craignez rien, Altesse », dirent les suivantes, et l'on se remit à interroger la marmite indiscrète.

Dans l'intervalle, le porcher ou le prince, puisque nous connaissons son secret, s'était ingénié[5] à confectionner une crécelle[6] admirable : quand on la faisait tourner, on entendait toutes les valses, galops[7], sarabandes[8], quadrilles[9], airs de danse qui avaient été composés depuis la création du monde.

---

notes

1. bien avant : bien tard.

2. chambellan : personne chargée du service de la chambre du souverain, du prince.

3. blanc-manger : dessert à base de blancs d'œufs et d'amandes.

4. pudding : gâteau à base de farine, d'œufs, de graisse de bœuf et de raisins secs, souvent parfumé avec une eau-de-vie.

5. s'était ingénié : avait mis toutes les ressources de son esprit.

6. crécelle : moulinet de bois formé d'une planchette mobile qui tourne bruyamment autour d'un axe.

7. galops : anciennes danses d'origine hongroise au mouvement très vif.

8. sarabandes : danses vives, d'origine espagnole ; anciennes danses françaises à trois temps, graves et lentes, voisines du menuet, qui se dansaient par couples.

9. quadrilles : danses à la mode au XIXᵉ siècle où les danseurs exécutent une série de figures.

La princesse, passant près de la basse-cour, entendit cette joyeuse musique ; elle en fut ravie. « Courez, s'écria-t-elle, courez lui demander ce qu'il veut de son instrument. Mais point de baisers, je n'en donne plus. »

La demoiselle d'honneur chargée de la commission vint redire que l'impudent[1] exigeait cent baisers de la princesse.

« Il est absolument fou », dit-elle, et elle s'en alla. Elle n'avait pas fait cent pas qu'elle reprit : « Je suis, après tout, la fille de l'empereur, et mon devoir est d'encourager les arts. Allez lui dire qu'il aura dix baisers de moi et quatre-vingt-dix autres de vous, mesdemoiselles.

– Comment ! il nous faudra embrasser ce rustre[2] ?

– Eh bien ! je le fais, moi, et vous que j'entretiens, que je nourris, qui êtes mes sujettes, vous hésiteriez à le faire ? Allons, dépêchez et obéissez.

– Je veux cent baisers de la princesse, ou je garde ma crécelle », telle fut la réponse du porcher.

La princesse finit par se rendre, et, faisant placer de nouveau ses suivantes en cercle autour d'elle, elle se mit à compter au porcher les baisers.

« Qu'est-ce donc que cet attroupement près de l'étable aux porcs ? » se dit l'empereur qui était à son balcon. Il se frotta les yeux, prit ses lunettes et dit : « Ah, ce sont les demoiselles d'honneur ! Quel tour d'espièglerie font-elles encore ? Je m'en vais voir. »

Et, chaussant des pantoufles pour ne pas faire de bruit, il descendit et approcha sans être remarqué, tant les suivantes étaient occupées à bien compter le nombre des baisers, pour que le croquant[3] n'en reçût pas un de plus que son compte.

---

notes

1. impudent : insolent, effronté.

2. rustre : homme grossier et brutal.

3. croquant : paysan (mot péjoratif).

L'empereur se leva sur ses pieds et faillit tomber de son haut : la princesse sa fille, venait de donner le soixante-huitième baiser. Une colère terrible le saisit. Prenant sa pantoufle, il en distribua des coups aux suivantes qui s'enfuirent éperdues. Et, sans vouloir rien écouter, il bannit[1] de ses États la princesse et le porcher.

Les deux exilés marchèrent longtemps ensemble sans rien dire. Survint la pluie et le vent. La pauvre princesse pleurait à chaudes larmes : « Infortunée créature que je suis, soupira-t-elle. Si au moins j'avais épousé le gentil prince qui demanda naguère[2] ma main, je ne serais pas si à plaindre maintenant. »

Le porcher s'en alla derrière les arbres, enleva le maquillage qui noircissait son teint, revêtit ses beaux habits de prince qu'il avait dans sa valise ; il reparut : il était si beau que la princesse, toute désolée qu'elle était, sentit s'arrêter le cours de ses larmes.

« Je suis le prince dont tu viens de parler, dit-il. Mais ne te réjouis pas, je ne t'aime plus, je te méprise. Ah ! tu n'as pas voulu d'un honnête prince qui voulait faire de toi la compagne de sa vie ; tu n'as pas compris la merveille de la rose et du rossignol, et, pour un jouet, tu as pu condescendre[3] à embrasser un porcher. Adieu ! pour toujours. »

Il se rendit dans son petit royaume. La princesse courut derrière lui, demandant pardon. Mais il lui ferma au nez la porte de son palais.

Traduit du danois par E. Grégoire, L. Moland, 1874.

notes

1. bannit : condamna à quitter le pays avec interdiction d'y rentrer.

2. naguère : il y a peu de temps, récemment.

3. condescendre : t'abaisser.

Au fil du texte

AVEZ-VOUS BIEN LU ?

1. Quelles sont les qualités du prince ?

2. Qui veut l'épouser ? Qui veut-il, lui, épouser ? Pourquoi ?

3. Qu'offre-t-il à la princesse ? Apprécie-t-elle ses cadeaux ? Pourquoi ?

4. Comment le prince s'introduit-il à la cour ?

5. Par qui le prince et la princesse sont-ils chassés de la cour ? Pourquoi ?

6. Pensez-vous que la formule « *Tout est bien qui finit bien* », s'adapte à ce conte ? Justifiez votre réponse.

ÉTUDIER UN GENRE

7. Faites la liste des personnages principaux de ce conte, puis celle des personnages secondaires.

8. À quel moment le merveilleux★ apparaît-il ?

9. Quelle morale pouvez-vous tirer de ce conte ?

10. Le prince change d'apparence : recherchez la définition du mot « *métamorphose* ». Peut-on parler de métamorphose en ce qui concerne le prince ? Pourquoi ?

ÉTUDIER LE DISCOURS ET LE VOCABULAIRE

11. Relevez tous les substituts★ utilisés pour désigner le prince. Sont-ils dans l'ensemble mélioratifs★ ou péjoratifs★ ? Pourquoi ?

merveilleux : qui relève de l'inexplicable, du surnaturel.

substituts : mots utilisés à la place d'un autre mot.

mélioratifs : qui expriment une idée, un jugement favorable.

péjoratifs : qui expriment une idée, un jugement défavorable.

12. Comment comprenez-vous la phrase,
lignes 84-85 ? Qui pense cela ?

13. Quels défauts le prince découvre-t-il chez
la princesse tout au long du conte ?

ÉTUDIER LA GRAMMAIRE

14. Par quels moyens grammaticaux les qualités
de la rose et du rossignol sont-elles mises en valeur,
lignes 11 à 20 ?

À VOS PLUMES !

15. Imaginez une autre fin pour ce conte, à partir
de la ligne 173. Vous écrirez une vingtaine de lignes
au minimum, en faisant alterner dialogue et récit.

16. Imaginez un troisième objet magique que
le prince aurait pu confectionner pour séduire
la princesse. Vous le décrirez et montrerez
les réactions de la princesse lorsqu'elle découvre
cet objet. Vous rédigerez une dizaine de lignes.

LIRE L'IMAGE

17. Quel passage précis du conte le dessinateur
a-t-il illustré, page 97 ?

18. Pouvez-vous citer au moins quatre termes
techniques d'architecture représentés sur
cette illustration ?

Retour sur l'œuvre

1. Une sirène peut monter à la surface pour la première fois :
- ❏ lorsqu'elle est âgée de quinze ans.
- ❏ à sa majorité, à dix-huit ans.
- ❏ après avoir fait ses paliers de décompression.

2. Une fille de l'air peut acquérir l'immortalité en :
- ❏ faisant le bien pendant trois mille ans.
- ❏ faisant le bien pendant trois cents ans.
- ❏ épousant un homme et lui étant fidèle toute sa vie.

3. Le petit canard est différent des autres car :
- ❏ il est plus grand et gris.
- ❏ il ne sait pas nager.
- ❏ il est toujours de mauvaise humeur.

4. Le petit canard rencontre, à la fin du conte, des animaux qui le comprennent enfin ; il s'agit :
- ❏ d'oies sauvages.
- ❏ de cygnes.
- ❏ d'aigles.

5. Deux tisserands proposent au grand-duc de :
- ❏ lui confectionner des habits devenant invisibles pour toute personne qui ne sait pas bien exercer sa profession ou qui a l'esprit trop borné.
- ❏ lui refaire entièrement sa garde-robe.
- ❏ devenir ses tailleurs attitrés.

6. À la fin du conte *Les habits neufs du Grand-duc* :
- ❏ la foule admire le grand-duc qui propose aux tisserands de rester pour toujours à son service.

❑ un enfant s'exclame, en voyant le grand-duc :
« *Il n'a pas du tout d'habit* ».
❑ la foule, silencieuse, montre du doigt le grand-duc qui
se rend compte qu'il n'a pas d'habits et s'évanouit.

**7. La petite marchande d'allumettes ne veut pas
rentrer chez elle car :**
❑ elle s'est disputée avec son père.
❑ elle n'a pas vendu suffisamment d'allumettes
et son père risque de la battre.
❑ elle a perdu l'argent qu'elle avait gagné depuis
le matin.

**8. Dans *Le Porcher*, le prince fait envoyer à la fille
de l'empereur :**
❑ une rose et une colombe.
❑ un chaton et une orchidée.
❑ une rose et un rossignol.

**9. Dans *Le Porcher*, la fleur que le prince fait
envoyer est exceptionnelle car :**
❑ l'arbre dont elle provient ne fleurit qu'une fois
tous les cinq ans.
❑ elle ne se fane jamais.
❑ elle provient d'une petite planète très lointaine.

10. Pour séduire la jeune fille, le porcher crée :
❑ une marmite qui permet de savoir ce que mange
chaque habitant de la ville.
❑ une lanterne qui permet de voir ce qui se passe
dans chaque maison de la ville.
❑ une marmite qui prépare toute seule le plat que
son propriétaire désire.

Mots en croix

11. Tous les mots à trouver figurent dans le conte
Ce que fait le vieux est bien fait.

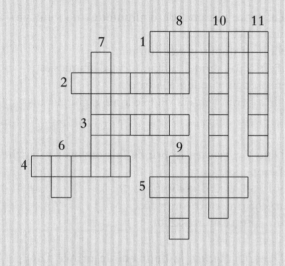

1. Blettes, elles satisfont pleinement la vieille.
2. Matière dont est fait le toit de la maison des vieux.
3. Le vieux échange son cheval contre elle.
4. Le percepteur accepte avec joie de se séparer d'elle.
5. Les Anglais pensent que le vieux va en recevoir
   des coups.
6. C'est ce que les Anglais proposent au vieux.
7. Animal que le couple possède au début du conte.
8. Elle est grasse dans le conte.
9. Produit par le 3 de cette grille.
10. Présents dans l'auberge où rentre le vieux.
11. Les canards se baignent dans la mare située sous
    ses branches.

Dossier
Bibliocollège

Schéma narratif

LA PETITE SIRÈNE

Situation initiale

Le roi de la mer habite dans son château, situé au fond des eaux, avec ses six filles et sa vieille mère. Le jour de leur quinze ans, les sirènes sont autorisées à monter à la surface. La plus jeune, enfant rêveuse, sensible, différente des autres, est très impatiente : elle nourrit ses songes des récits de ses sœurs aînées.

Élément modificateur (ou perturbateur)

Le jour de ses quinze ans, la petite sirène voit un magnifique bateau. Une fête s'y déroule, donnée à l'occasion des seize ans d'un prince dont la sirène tombe amoureuse. Une tempête se lève et le navire sombre. La petite sirène sauve le prince en le ramenant, inanimé, sur le sable, puis se cache : le jeune homme revient à lui, entouré de jeunes filles, ignorant à qui il doit la vie.

Péripéties

– La petite sirène regagne le fond des mers, mais elle est malheureuse : elle ne pense qu'au prince.

– La petite sirène, grâce à sa « famille des eaux », découvre où se situe le château du prince.

– Dès lors, elle retourne souvent à la surface et contemple l'amour de sa vie, sans qu'il ne la voie.

– En parlant avec sa grand-mère, elle apprend que, pour acquérir une âme immortelle, une sirène doit se faire aimer d'un homme qui l'épousera.

– Le soir même, la sirène quitte le château de son père où elle enchantait tout le monde par la beauté de sa voix, pour aller trouver la sorcière.

– Elle conclut un pacte avec l'horrible femme : celle-ci lui prépare un élixir ; dès qu'elle le boira, sa queue se transformera en jambes de femmes,

mais elle endurera des souffrances terribles pendant
la métamorphose et, ensuite, à chaque pas qu'elle fera.
En échange, elle doit donner sa voix à la sorcière.
Elle ne pourra jamais redevenir sirène, ne reverra jamais
les siens, et si le prince épouse une autre femme,
elle se transformera en écume.
– La petite sirène boit l'élixir : elle devient femme dans
d'atroces souffrances et s'évanouit.
– À son réveil, elle voit le prince qui tente de savoir
qui elle est et d'où elle vient.
– Il l'accueille dans son château. Entre eux naît une
douce relation : le prince l'aime comme une enfant,
sans avoir l'idée d'en faire sa femme.
– Les parents du prince ont décidé qu'il se marierait
avec la fille du roi voisin, mais le jeune homme s'est
promis de n'épouser que celle qui l'a sauvé du naufrage,
et qu'il croit être la jeune fille du couvent aperçue
à son réveil sur la plage. Lorsqu'il rencontre enfin
la princesse, il la reconnaît et accepte de l'épouser.
– Le mariage est célébré et les époux embarquent sur
un magnifique navire, accompagnés de la petite sirène,
qui est très malheureuse.
– Dans la nuit, ses sœurs lui apparaissent ; elles ont conlu
un pacte avec la sorcière ; si la petite sirène enfonce un
couteau dans le cœur du prince avant le lever du jour,
elle redeviendra sirène.

Résolution

La petite sirène jette l'arme dans les flots et se dissout
en écume. Apparaissent alors les filles de l'air, créatures
transparentes. En renonçant à tuer le prince, la petite
sirène a obtenu le privilège de devenir l'une des leurs.

Situation finale

La petite sirène verse, pour la première fois, des larmes
et monte, avec les filles de l'air, vers le ciel.

Il était une fois Andersen

Dates clés

22 avril 1805 :
naissance de
Hans Christian
Andersen
à Odense
(île de Fionie
au Danemark
cf. carte p. 4)

1818 :
le Théâtre Royal
de Copenhague,
en tournée,
passe par
Odense.
H.C. Andersen
monte sur
scène pour
la première fois
de sa vie ;
il est figurant ;
il sait désormais
ce qu'il veut faire
de sa vie…

**6 septembre
1819 :**
H.C. Andersen
arrive à
Copenhague.

UNE ENFANCE DIFFICILE

Il était une fois, dans un royaume appelé Danemark, tout là-haut au nord de l'Europe, un petit garçon qui voulait devenir célèbre. Il était pauvre et presqu'illettré. Il s'appelait Hans Christian Andersen… Mais cette histoire n'est pas un conte, ne vous y trompez pas ! C'est à Odense, un petit village d'une île de Fionie, située au nord du Danemark, que le 22 avril 1805 naît l'auteur de *La Petite Sirène*. Sa famille est très pauvre, son père, artisan cordonnier, rêveur, s'engage dans l'armée dont il revient malade. Il meurt en 1816. L'enfant est donc élevé par sa mère, lavandière, femme travailleuse mais tout à fait ignorante et qui finira alcoolique ; autour de lui, la pauvreté et la folie de son grand-père à qui il redoutera toute sa vie de ressembler…

UNE ADOLESCENCE TUMULTUEUSE

Sortir de sa condition misérable, être connu et reconnu de tous, tel est le désir le plus cher de l'enfant. Un beau matin, devenu un adolescent de 14 ans, il quitte sa ville natale pour aller tenter sa chance à Copenhague, la capitale, où il s'installe le 6 septembre 1819. Pour toute fortune, il a en tête les dires d'une voyante qui lui a prédit un brillant avenir, et au cœur une volonté farouche. Et il lui faudra cette confiance en lui et en sa bonne étoile pour supporter les désillusions qu'il connaît durant plus de dix ans : ses tentatives pour se faire connaître comme chanteur, danseur, acteur puis écrivain ne sont guère concluantes. Il retourne à l'école mais il souffre de ses échecs et des réprimandes… en un mot, il se sent comme le vilain petit canard auquel il donnera vie. Néanmoins, il parvient à publier un premier récit en 1828 : *Voyage à pied de Holmen à l'extrême est de Amager*.

LES ÉCHECS, LES VOYAGES, LES PREMIERS SUCCÈS

En 1829, il écrit une œuvre théâtrale, qui est jouée mais ne connaît pas le succès espéré. Néanmoins, il reçoit une subvention qui lui permet désormais de vivre décemment. Mais ses protecteurs lui reprochent son manque de culture et de maîtrise de la langue. Andersen tombe pour la première fois amoureux, de la sœur de l'un de ses amis, Riborg Voigt ; mais l'idylle est brève et platonique : cet échec rendra l'écrivain malheureux, et sera le premier d'une longue série de désillusions amoureuses : Andersen ne se mariera jamais, n'aura pas d'enfants et de là sans doute viendra cette cruelle impression de solitude qui le poursuivra jusqu'à sa mort. Ce manque de reconnaissance le pousse à entreprendre son premier voyage : il part en Suisse, puis découvre la plupart des pays d'Europe. En tout, il aura passé plus de neuf ans en dehors de son pays natal ! Il rencontre ainsi nombre d'artistes et de grands hommes de son époque : Victor Hugo, Lamartine, Dumas fils, le poète allemand Heine, Charles Dickens… À partir de 1831, Andersen écrit, tout en voyageant et en séjournant dans des châteaux où il est convié par des nobles danois et même des rois (Oscar Ier de Suède, le roi de Prusse…).

Dates clés

1822 : après trois années très difficiles, H.C. Andersen, qu'un homme influent, Jonas Collin, a pris sous sa protection, repart sur les bancs de l'école alors qu'il est âgé de dix-sept ans. Il y passera trois difficiles années.

1828 : publication d'un récit Voyage à pied de Holmen à l'extrême est de Amager.

1830 : voyage dans le Jutland et dans l'île de Fionie. Idylle avec Riborg Voigt, sœur d'un ami. Publication du premier recueil de poèmes.

1831 : publication d'un récit de voyage.

1833 : voyage en France, Suisse, Italie, Autriche, Bohême, Allemagne.

1835-1836 : publication du roman L'Improvisateur et du premier recueil de contes intitulé Contes pour les enfants.

Il était une fois Andersen

En effet à force de persévérance, Andersen est devenu un écrivain connu, dès 1830, par des poèmes, et en 1835, grâce à un roman, *L'improvisateur*. La même année est publié son premier recueil de *Contes*. Andersen n'accorde à ce moment là que peu d'importance au succès que ces « contes pour enfants » connaissent. En 1840, il fait la connaissance de la cantatrice Jenny Lind, surnommée le rossignol danois, qui sera la grand amour de sa vie mais qui refusera de l'épouser.

LES LUMIÈRES DE LA VILLE

À partir de 1850, Andersen vit dans l'aisance. Reconnu et admiré de tous, le grand écrivain danois ne sera pourtant jamais heureux : dans la plus complète des trois autobiographies qu'il a publiées, *Mit Livs Eventyr (Le Conte de ma vie)*, il se présente comme un homme à la fois heureux d'avoir réussi malgré sa pauvreté et son manque d'instruction et un être poursuivi par le malheur, profondément angoissé. Il change sans cesse de résidence, parcourt l'Europe, utilise les premiers chemins de fer.

L'année 1867 est un grand moment dans la vie de l'auteur : certes il visite l'Exposition Universelle de Paris , mais surtout, il est fait « citoyen d'honneur de Odense », sa ville d'origine, ce qui lui procure une joie profonde. En 1870, ses forces déclinent. Jusqu'en 1873, son âme voyageuse l'entraîne pourtant encore vers la Norvège, l'Autriche, l'Allemagne. Mais le 6 août 1875, il s'éteint à la suite d'une maladie du foie : comme le lui avait prédit la voyante de son enfance, toutes les lumières de sa ville natale s'embrasent alors en l'honneur du vilain petit canard devenu cygne…

Vivre à l'époque d'Andersen

Homme d'idée et de progrès, Andersen reflète bien les aspirations et le mode de vie de son époque.

ÊTRE CITOYEN DE L'UNIVERS...

Enfant du XIXe siècle, Andersen est l'héritier du vent de liberté qui a soufflé à la fin du XVIIIe siècle, sur l'Europe. La déclaration d'indépendance des États-Unis (4 juillet 1776), puis la Révolution française (1789), ont été les conséquences d'une évolution des mentalités, initiée et révélée par les écrits des philosophes de l'époque. Voltaire, par exemple, européen avant l'heure, écrivait alors : « *Celui qui voudrait que sa patrie ne fût jamais ni plus grande, ni plus petite, ni plus riche, ni plus pauvre, serait le citoyen de l'univers.* » Il ajoute, en évoquant les peuples d'Europe : « *Toutes les maisons des souverains sont alliées ; leurs sujets voyagent continuellement et entretiennent une liaison réciproque.* » Les effets de cette libéralisation ont mis, dans les différents pays d'Europe, souvent des décennies à se faire sentir. Ainsi, au début du XIXe siècle, le Danemark est-il encore une monarchie, c'est-à-dire que le pays est gouverné par un roi, Frédéric VI. Ce n'est qu'à partir du milieu du siècle, sous le règne de Frédéric VII, que la monarchie devient constitutionnelle.

... EN DÉCOUVRANT LE MONDE...

Autre caractéristique du XIXe siècle, la révolution industrielle et le développement technique qu'elle engendre. Homme avide de découvertes et se sentant étranger dans l'âme, même dans son propre pays,

Vivre à l'époque d'Andersen

Andersen fut un grand utilisateur du réseau ferroviaire en plein essor. C'est en 1804 que la première locomotive fut mise sur rail et en 1832 que s'ouvrit la première ligne de chemin de fer en France.

Dans son autobiographie, l'écrivain fait part de l'étonnement et de la joie que lui procurèrent ses déplacements en train : « *La première sensation est celle d'un mouvement très doux dans les voitures, et puis les chaînes qui les relient ensemble se tendent.* [...] *La vitesse augmente insensiblement* [...] *; vous avez l'impression de voler, mais ici, il n'y a ni secousse, ni pression de l'air, rien de ce que vous aviez imaginé de désagréable.* [...] *Nous avons l'impression de nous tenir à l'extérieur du globe et de le voir tourner sur lui-même.* »[1]

... ET SES HABITANTS, SES ARTISTES, SES HOMMES POLITIQUES

Cette curiosité, ce goût du voyage permirent à Andersen de rencontrer de nombreux artistes avec lesquels il eut de longs entretiens ; citons, en France, Victor Hugo, Lamartine, Dumas fils ; en Allemagne Heinrich Heine ; en Angleterre Charles Dickens ; en Italie Cherubini...
Il fut également reçu par des personnalités politiques comme le roi Oscar 1er de Suède, en 1849, et par de nombreux nobles danois et suédois.
Si l'on additionne tous ses séjours à l'étranger, Andersen aura passé plus de neuf ans de sa vie hors des frontières de son pays ! Il incarne donc ce citoyen, sinon de l'univers, du moins d'Europe, oiseau sans nid, partant, à l'instar de Nils Holgersson, à la découverte du vaste monde.

---

1. *Hans Christian Andersen* de Elias Bredsdorff, Presses de la Renaissance, 1989, pp. 192-193.

Un genre littéraire : le conte

QU'EST-CE QU'UN CONTE ?

C'est sans doute par une comparaison avec des genres
littéraires voisins qu'il est le plus aisé de définir l'univers
merveilleux du conte : on peut ainsi le mettre
en parallèle avec le fantastique et la science-fiction
qui en sont à la fois proches et très différents.
Le récit fantastique est ancré dans la réalité, mais des
événements surgissent, qui engendrent une hésitation ;
une porte s'ouvre toute seule : est-ce le vent,
un cambrioleur ou un vampire ? C'est cette hésitation
qui provoque la peur, moteur du fantastique.
Les récits de science-fiction sont ancrés dans
des mondes dont la technologie, plus avancée que
la nôtre, permet des investigations aussi bien
temporelles que spatiales : une machine à remonter
le temps entraîne le lecteur à l'ère jurassique,
les Martiens débarquent sur la Terre, on s'entretue
à coups de sabres-lasers...
Lorsque Hergé, le « père » de Tintin, écrivit *Objectif Lune*,
on parlait de science-fiction... mais quelques dizaines
d'années plus tard, Neil Armstrong posait,
pour la première fois le pied sur notre satellite...
De la science-fiction à la réalité, il n'y avait eu qu'un pas,
« petit pour l'homme, grand pour l'humanité » !
Pénétrer dans l'univers du conte, c'est entrer dans
un monde codifié : le lecteur accepte le merveilleux
et ne s'étonne pas de croiser fées et sorcières,
de rencontrer un chat botté capable, d'un seul pas,
de franchir sept lieues, d'accompagner une petite sirène

à la surface des eaux... la magie y est une pratique courante !

Que les lieux et les époques ne soient pas, en général, définis, ne dérange personne comme l'atteste la formule d'usage souvent utilisée « Il était une fois... » : le conte est temporel et universel. Les personnages sont souvent de haut rang social et le monde est peuplé de rois, de princesses habitant de magnifiques châteaux, mais également de pauvres et malheureuses jeunes filles, incomprises et maltraitées. Enfin, le conte renferme une morale, exprimée de façon plus ou moins évidente, qui rassure ou fait réfléchir...

BRÈVE HISTOIRE DE CONTE

Vous avez entendu ou lu des contes depuis votre petite enfance. Ce « genre littéraire » vous est donc familier ; il est « reconnu ». Mais sachez que ce ne fut pas toujours le cas. Bien qu'on ait retrouvé un conte sur un papyrus égyptien datant du XIIe siècle avant Jésus-Christ, la plupart d'entre eux était transmis oralement et il fallut attendre le XVIIe siècle pour que ce genre ne soit plus méprisé et considéré comme de la vraie littérature. Les femmes, en particulier, dans les salons aristocratiques, raffolaient des contes de fées et c'est Charles Perrault (1613-1688) qui, le premier, donna au conte ses « lettres de noblesse » avec *Riquet à la houppe*, *Barbe bleue*, *Cendrillon*, *Le Petit Chaperon Rouge*...

En Allemagne, au XIXe siècle, les frères Grimm, Jakob (1785-1863) et Wilhelm (1786-1859), savants allemands, spécialistes du langage, publient, entre 1812 et 1815 *Les Contes d'enfants et du foyer*. Il s'agit d'histoires recueillies auprès de conteurs oraux, sans réelle créativité de la part des deux frères mais qui amènent un véritable regain d'intérêt pour le conte populaire, un peu délaissé au XVIIIe siècle : nous leur devons *Hans et Gretel*, *Blanche-Neige et les sept nains*, *La Belle au bois dormant*, pour ne citer que les plus célèbres. Traduits dans de nombreuses langues, ces contes suscitent des vocations, en Russie, en Écosse, dans les pays scandinaves (Norvège, Suède, Danemark, Finlande). Quant au danois Hans Christian Andersen, auteur de pièces de théâtre, romancier, poète, c'est en fait grâce à ses *Contes*, publiés tout au long de sa vie, qu'il brille au firmament des écrivains... lui qui ne vivait que dans l'espoir d'être connu et qui ne pensait pas que la célébrité viendrait par ce biais. Rappelons qu'il sera fait citoyen d'honneur d'Odense, sa ville natale, et que toutes les lumières de la ville s'allumeront à sa mort, en témoignage de l'admiration et de l'affection que le peuple danois portait à « son » conteur.

ANDERSEN, UN CONTEUR ORIGINAL

Andersen est à la fois un conteur fidèle aux traditions de son pays, tradition de neige par exemple *(La Reine des Neiges, La Vierge des Glaces...)*, et un grand créateur. Examinons rapidement ce qui fait l'unicité, l'originalité de ses contes.

Tout d'abord, Andersen s'est lui-même mis en scène dans la plupart de ses contes, de façon plus ou moins déguisée. L'une de ses autobiographies débute d'ailleurs par cette phrase : « Ma vie est un conte de fées ». Il portait en lui, ancrés très profondément, à la fois ce sentiment d'être différent des autres et une volonté farouche de réussir. Il fut tour à tour enfant pauvre mais déjà avide de reconnaissance, adolescent dégingandé, aventurier et timide à la fois ; jeune homme extraverti, lisant sans cesses ses écrits à qui voulait bien les entendre, chanteur, danseur, comédien essuyant échec sur échec ; amoureux transi que jamais femme ne consentit à épouser ; voyageur effréné qui jamais ne se sentit nulle part chez lui. Or, toutes ces facettes du personnage « kaléidoscopique » d'Andersen se retrouvent dans ses contes : la pauvreté de *La petite fille et les allumettes*, la vulnérabilité et la détermination du *Vilain petit canard*, les amours impossibles de *La petite sirène*, l'incapacité du *Porcher* à se faire aimer pour ce qu'il est véritablement...

Outre ces évidences autobiographiques, les contes d'Andersen se caractérisent par une tonalité particulière, un style très personnel. L'écrivain aimait lire ses œuvres à voix haute, aussi bien à des enfants qu'aux amis qui le conviaient dans leurs châteaux. Aussi, ses contes abondent-ils en marques d'oralité ; il s'adresse par exemple fréquemment au lecteur, pour lui faire vivre intensément l'histoire : « Vous connaissez la campagne ? » Il fait parler les animaux, et introduit çà et là des onomatopées : « Platsch » « Rap-Rap » ; ses phrases sont simples, traduisent immédiatement les sentiments des personnages ; certaines d'entre elles reviennent comme un refrain ; si l'auteur utilise une formulation ou un terme un peu compliqués, il les explique, les met en scène afin que tous puissent les comprendre.

Autre caractéristique des contes d'Andersen, la « morale » n'est jamais exprimée : c'est au lecteur de découvrir les modèles ou les antimodèles qu'il propose ; le courage et l'endurance du petit canard, la bonté et la volonté de la sirène, la confiance et l'amour qui constituent le plus beau des trésors du couple de vieux paysans, le discernement du porcher... Contrairement à beaucoup de contes qui se terminent par la formule consacrée : « Ils vécurent heureux et eurent beaucoup d'enfants », la fin de ceux d'Andersen est souvent surprenante et originale : les personnages restent fidèles à eux-mêmes et c'est cette sincérité qui commande le dénouement. La fin n'est donc pas toujours heureuse... pour tout le monde ; de plus, Andersen a le sens de l'humour, et il sait émailler ses contes de petites touches humoristiques, en particulier en fin d'histoire, comme en témoigne *Le Porcher* !

La dernière caractéristique des contes d'Andersen est leur variété. On peut les classer suivant de nombreux critères : contes qui ne mettent en scène que des humains, contes où les animaux parlent, contes où les objets s'animent... mais nous retiendrons une autre classification, proposée par Andersen lui-même : d'un côté les « eventyr » (conte de fées, en danois), faisant intervenir des éléments magiques, surnaturels (*La petite sirène, Le porcher...*), de l'autre les « historie », histoires similaires à des fables (*Ce que fait le vieux, La petite fille et les allumettes*).

Vous l'aurez compris, Hans Christian Andersen est un écrivain unique, dont vous avez découvert six contes... mais n'oubliez pas : il vous en reste plus de cent soixante à lire !

Groupement de textes :
La métamorphose

Qu'est-ce qu'une métamorphose ? C'est un changement de forme, de nature ou de structure, si considérable que l'être ou la chose qui en est l'objet n'est plus reconnaissable. Dans certains contes d'Andersen, comme dans beaucoup d'autres contes et plus largement dans les récits fantastiques et merveilleux, il arrive que des personnages se métamorphosent. Ces personnages peuvent être des êtres humains, des créatures hybrides (qui proviennent de croisement de variétés ou d'espèces différentes), des animaux, des végétaux, des objets...
Ces « personnages » subissent parfois leur métamorphose, c'est-à-dire qu'elle leur est imposée, par une puissance le plus souvent maléfique ; parfois, ce sont eux qui la réclament, ou en sont les artisans. S'ils sont « spectateurs » de leur transformation, c'est qu'ils ont mal agi, ou qu'ils sont victimes de la fatalité. S'ils en sont « acteurs », c'est qu'ils ne sont pas satisfaits de leur condition humaine, animale, végétale..., ou que leur curiosité naturelle les pousse à aller voir de l'autre côté du miroir du réel, à transgresser les lois de la nature. Ainsi dans *La petite sirène*, l'héroïne se métamorphose-t-elle deux fois. Au début du récit, c'est elle qui va voir la sorcière car elle désire plus que tout devenir un être humain : par la transformation de sa queue de poisson en jambes, elle espère devenir une femme à part entière, au prix de sa voix et d'atroces souffrances. À la fin du conte, c'est elle qui, sans le vouloir ni le savoir, est à l'origine de sa métamorphose : « récompensée » de sa bonne action, elle devient une « fille de l'air » au lieu d'être transformée en écume.

En ce qui concerne *Le vilain petit canard*, il ne s'agit pas d'une réelle métamorphose, car le canard est un cygne dès le début du conte. Mais tous l'ignorent, le lecteur, le vilain petit canard lui-même, ainsi que tous les autres personnages.

C'est pourquoi nous vivons tous la prise de conscience comme une métamorphose, heureuse : rejeté pour sa laideur jusqu'à la dernière page, il accède au statut d'animal admiré, membre envié d'une communauté majestueuse.

La métamorphose est un thème fréquent aussi bien en littérature qu'au cinéma. Nous connaissons tous la citrouille qui se transforme, l'espace de quelques heures, en magnifique carrosse, ou le pantin créé par Geppetto, soudain métamorphosé en un petit garçon du nom de Pinocchio.

Vous allez découvrir, dans les extraits suivants, des êtres qui se métamorphosent, pour des raisons très variées ; les conséquences de leur transformation seront, elles aussi, extrêmement diverses.

ALICE AU PAYS DES MERVEILLES

Alice, l'héroïne, est arrivée dans un étrange pays, le pays des merveilles. Elle a bu le contenu d'un flacon mystérieux sur lequel était inscrit : « BOIS-MOI ». Les effets de cette potion ont été immédiats : elle est devenue toute petite. Mais elle désire retrouver sa taille normale...

> Elle allait quitter la pièce lorsque son regard s'arrêta sur une bouteille posée près du miroir. Il n'y avait pas cette fois d'étiquette avec les mots « BOIS-MOI », pourtant, elle la déboucha et la porta à ses lèvres. « Je sais que quelque chose d'intéressant

doit se produire, quand je mange ou quand je bois, se dit-elle. Je vais me rendre compte de l'effet produit par cette bouteille. J'espère qu'elle me fera retrouver ma taille normale car, vraiment, j'en ai assez d'être si petite ! »

Ce qu'elle souhaitait arriva bien plus vite qu'elle ne s'y attendait. Elle n'avait pas bu la moitié de la bouteille que sa tête s'écrasait contre le plafond, et elle dut s'arrêter net de boire pour n'avoir pas le cou brisé.

Elle posa vite la bouteille en disant : « C'est assez ; j'espère que je ne vais plus grandir ; même maintenant, je ne peux plus sortir par la porte ; je regrette d'avoir tant bu ! »

Hélas ! il était trop tard ! Elle n'arrêtait plus de grandir, de grandir... et bientôt elle dut s'agenouiller sur le parquet. En une minute, même dans cette position, elle n'eut plus assez de place et essaya de se coucher, un coude contre la porte et l'autre bras replié autour de la tête. Mais elle continua de grandir et n'eut d'autre ressource que de passer un bras par la fenêtre, un pied dans la cheminée : « Maintenant je ne peux rien faire d'autre, que va-t-il m'arriver ? » se dit-elle.

Lewis Carroll, *Alice au pays des merveilles*, traduit de l'anglais par André Bay, © Hachette Jeunesse.

LA BELLE ET LA BÊTE

Jeanne-Marie Leprince de Beaumont (1711-1780) est l'une des rares femmes du XVIIIe siècle à avoir pu vivre de sa plume. Elle enseignait à de jeunes Anglaises et publiait de nombreux ouvrages généralement instructifs et moraux, comme le célèbre conte *La Belle et la Bête*, inspiré d'un récit populaire, qui a donné lieu à plusieurs adaptations cinématographiques. Un marchand très riche, père de six enfants, trois garçons et trois filles, connaît un revers de fortune. Ses filles aînées, déplaisantes et égoïstes, jalousent la cadette, plus belle encore qu'elles et aux qualités de cœur exceptionnelles. Un jour, le père, parti en voyage, s'égare sur le chemin de retour et arrive

Jean Marais dans le rôle de la Bête et Josette Day dans le rôle de la Belle.

dans un palais désert où il trouve pourtant la table mise et le lit préparé. Au moment de quitter les lieux, il cueille une rose pour la rapporter à sa fille cadette. C'est à ce moment que surgit la Bête, monstre qui le condamne à mourir, lui ou l'une de ses filles, pour avoir « volé » la fleur. La cadette décide de se sacrifier et vient au palais où elle doit être dévorée. Mais la Bête tombe amoureuse de la jeune fille et lui demande, chaque jour, de l'épouser. Peu à peu, la bonté de la Bête touche le cœur de la Belle. Cette dernière retourne voir sa famille, promettant de revenir au bout de huit jours. Mais elle tarde et, à son retour au palais, trouve la Bête en train de se laisser mourir de chagrin.

[...] – Non, ma chère Bête, vous ne mourrez point ! lui dit la Belle. Vous vivrez pour devenir mon époux. Dès ce moment, je vous donne ma main et je jure que je ne serai qu'à vous. Hélas ! je croyais n'avoir que de l'amitié pour vous, mais la douleur que je sens me fait voir que je ne pourrais vivre sans vous voir. »

À peine la Belle eut-elle prononcé ces paroles qu'elle vit le château billant de lumières. Les feux d'artifice, la musique, tout lui annonçait une fête ; mais toutes ces beautés n'arrêtèrent point sa vue. Elle se retourna vers sa chère Bête dont l'état faisait frémir. Quelle ne fut pas sa surprise ? La Bête avait disparu, et elle ne vit plus à ses pieds qu'un prince plus beau que l'Amour, qui la remerciait d'avoir rompu son enchantement.

Quoique ce prince méritât toute son attention, elle ne put s'empêcher de lui demander où était la Bête.

« Vous la voyez à vos pieds, lui dit le prince. Une méchante fée m'avait condamné à rester sous cette figure jusqu'à ce qu'une belle fille consentît à m'épouser, et elle m'avait défendu de faire paraître mon esprit. Ainsi il n'y avait que vous dans le monde pour vous laisser toucher par la bonté de mon caractère : en vous offrant ma couronne, je ne puis m'acquitter des obligations que j'ai pour vous. »

La Belle, agréablement surprise, donna la main à ce beau prince pour le relever. Ils allèrent ensemble au château et la Belle manqua mourir de joie en trouvant, dans la grand-salle, son père et toute sa famille, que la belle dame qui lui était apparue en songe avait transportés au château. [...]

Madame Leprince de Beaumont, *La Belle et la Bête*, 1740.

LES MÉTAMORPHOSES

Le poète latin Ovide (43 av. J.-C-17 ap. J.-C.) raconte, dans *Les Métamorphoses*, des légendes expliquant l'histoire du monde, les transformations de dieux et d'hommes en végétaux ou en animaux.
Voici comment est né le laurier.

Le dieu Apollon est amoureux de Daphné, la fille du fleuve Pénée. Il poursuit la jeune fille, qui cherche à lui échapper car elle ne l'aime pas.

Apollon est plus rapide et n'a pas besoin de repos. Déjà il se penche sur les épaules de la fugitive, il effleure du souffle les cheveux épars sur son cou. Elle, à bout de forces, a blêmi ; brisée par la fatigue d'une fuite si rapide, elle s'écrie, tournée vers les eaux du Pénée : «Viens, mon père, viens à mon secours, si les fleuves comme toi ont un pouvoir divin. Délivre-moi par une métamorphose de cette beauté trop séduisante. »
À peine a-t-elle achevé sa prière qu'une lourde torpeur s'empare de ses membres ; une mince écorce entoure sa poitrine ; ses cheveux s'allongent, se changent en feuillage, ses bras en rameaux. Ses pieds, tout à l'heure si agiles, adhèrent au sol par des racines. La cime d'un arbre couronne sa tête. Apollon cependant l'aime toujours ; la main posée sur le tronc, il sent encore le cœur palpiter sous l'écorce nouvelle. Entourant de ses bras les rameaux qui remplacent les membres de Daphné, il couvre le bois de ses baisers. Il s'écrie alors : « Puisque tu ne peux être mon épouse, du moins tu seras mon arbre ; à tout jamais tu orneras, ô laurier, ma chevelure, ma lyre et mes carquois. » Le laurier inclina ses branches neuves et Apollon vit s'agiter sa cime comme une tête. [...]

Ovide, *Les Métamorphoses*, I, v. 538-567, *op. cit.*

Dr Jekyll et Mr Hyde

Le docteur Jekyll, médecin apprécié de tous pour son honnêteté, son humanité et son professionnalisme, est également un chercheur. Il veut comprendre pourquoi l'homme est à la fois un être bon et mauvais, parvenir à dissocier les substances organiques qui sont à l'origine du bien et du mal, et travaille donc activement dans son laboratoire. Il met au point une potion qu'il teste sur sa propre personne. Dès qu'il absorbe la boisson, il se métamorphose en être méchant, dangereux et horriblement laid. Physiquement et moralement, il incarne alors le mal et hante la ville, de nuit, sous le nom de Mr Hyde...

La nuit, cependant, était fort avancée, et malgré l'obscurité le matin allait bientôt donner naissance au jour. Les habitants de la maisonnée étaient plongés dans le plus profond des sommeils. Dans l'ivresse de ma découverte et de mon triomphe, je me décidai à m'aventurer sous ma nouvelle forme jusque dans ma chambre à coucher. Je traversai la cour sous le regard des étoiles qui devaient, j'imagine, contempler avec étonnement la première créature de cette espèce, que leur vigilance toujours en éveil leur eût jamais dévoilée. Je me faufilai furtivement à travers les couloirs, étranger dans ma propre maison. Et c'est en arrivant dans ma chambre que pour la première fois je vis apparaître Edward Hyde.

Il me faut parler ici par hypothèse exclusivement, et dire non point ce que je sais, mais ce qui me paraît être le plus probable. Le mauvais côté da ma nature, dans lequel je m'étais à présent incarné, était moins robuste et moins développé que le bon, dont je m'étais récemment débarrassé. Il faut dire qu'au cours de mon existence, dont les neuf dixièmes avaient été consacrés, après tout, à l'effort, à la vertu, et à la maîtrise de soi, ce côté-là avait été moins soumis à l'exercice et s'était moins dépensé. De là vient, je crois, qu'Edward Hyde était beaucoup plus petit, plus menu, plus jeune que Henry Jekyll. Et, de même que la bonté

illuminait les traits de l'un, de même la méchanceté était ins-
crite en toutes lettres sur le visage de l'autre. En outre, cette
méchanceté (dans laquelle je persiste à voir le côté funeste de
l'homme) avait laissé sur ce corps l'empreinte de la difformité
et de la déchéance. Pourtant, à voir cette affreuse idole dans le
miroir, je n'éprouvai pas la moindre répulsion, plutôt l'envie de
me précipiter pour lui souhaiter la bienvenue. Car ce reflet,
c'était moi, aussi. Il paraissait naturel et humain. À mes yeux il
offrait une image plus vivante de l'esprit, il semblait plus expli-
cite et plus unique en son genre que le portrait imparfait et
indécis que j'avais jusque-là eu coutume d'appeler mine. Et en
cela j'avais raison, assurément. J'ai remarqué que lorsque j'en-
dossais les traits d'Edward Hyde, personne ne pouvait s'approcher de moi sans commencer par ressentir une véritable appré-
hension d'ordre physique.
Ceci provenait, j'imagine, de ce que tous les êtres humains que
nous croisons dans la rue sont mâtinés de bien et de mal : or de
toute l'espèce humaine, seul Edward Hyde était le mal à l'état
pur.[...]

Robert-Louis Stevenson, *Le cas étrange du Dr Jekyll et de Mr Hyde*,
Livre de Poche n° 8705, p. 179, traduction de Jean-Pierre Naugrette,
© Librairie Générale Française, 1988.

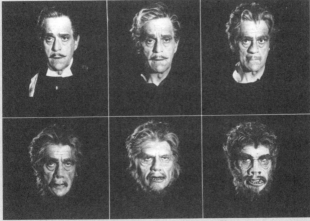

Transformations de l'acteur Boris Karloff.

Bibliographie et filmographie

Les *Contes D'Andersen* (trad. P.G. La Chesnais) ont été publiés en édition complète par Le Mercure de France (1937-1954).

H.C. Andersen, *Contes*, trad. de Régis Boyer, Gallimard, coll. « Folio classique », 1992-1994.

H.C. Andersen, *Le Conte de ma vie*, extraits traduits du danois par Cecil Lund et Jules Renard, Stock, 1930.

H.C. Andersen, *La Petite Sirène et autres contes*, Flammarion , coll. « G.F. », n° 230, 1970.

R. Boyer, article « Andersen », *Encyclopædia Universalis*, tome I.

É. Bredsdorff, *H. C. Andersen*, biographie traduite de l'anglais par Claude Carme, Presse de la Renaissance, 1989.

A. Faudemay, préface à l'édition des *Contes d'Andersen*, Gallimard, coll. « Folio », 1985.

M. Gravier, chronologie et préface à l'édition des *Contes d'Andersen*, Flammarion, coll. « G.F. », 1970.

P. Hybye, *Andersen et la France*, Munksgaard, 1961.

I. Jan, *Andersen et ses contes*, Aubier-Montaigne, 1977.

M. Stirling, *Le Cygne sauvage*, Pauvert, 1966.

FILMOGRAPHIE

Walt Disney, *La Petite Sirène*, 1990.
Karel Kachyma, *La Petite Sirène*, film tchécoslovaque en version française, 1975.

Imprimé en Italie par «La Tipografica Varese S.p.A.»
Dépôt légal : novembre 2006 - Collection n° 46 - Édition 05 - 16/8151/9